권력의 질

The Quality of Power

이철우 지음

이제 정치경제학의 과제는 권력의 질을 논해야 할 때가 되었다. 권력의 형태나 역사를 단순히 기술하는 것은 이제는 무의미하다. 우리가 상품을 고를 때 궁극적으로는 그 질을 가지고 선택한다. 가격은 상대적이지만 질은 절대적이기 때문이다.

신광문화사

권력의 질

인쇄일 2012년 11월 10일 초판 1쇄
발행일 2012년 11월 20일 초판 1쇄

지은이 이철우
펴낸이 전귀연
펴낸곳 신광문화사

주 소 경기도 파주시 문발동 파주출판도시 500-13(광인사길 201)
Tel (031)955-4211~6 donghwae@kornet.net
Fax (031)955-4217 www.donghwapub.co.kr
등 록 1991년 6월 26일/6-130호 공급처 도서출판 동화기술

ISBN 978-89-7432-400-1 03300
값 8,000원

저자서문

로마제국의 나라 이탈리아와 대영제국의 나라 잉글랜드가 유럽 국가대항 축구대회 유로2012 8강에서 맞붙었다. 나는 동양의 '영원한 제국' 중국의 한 호텔에서 관영 CCTV에서 생중계되는 양국의 경기를 보았다. 노예 제도를 기반으로 하는 지배층의 귀족공화제가 로마제국의 근간이었다면 그에 걸맞은 원형경기장의 피 튀기는 검투사들의 결투는 너무도 당연한 일이었을 것이다. 대중은 어느 시대를 막론하고 원형경기장을 필요로 하는 것 같다. 축구의 종주국 대영제국은 산업혁명의 종주국으로 세계 제국으로의 위용을 떨치며 축구를 전 세계에 보급한 나라다. 축구는 로마 원형경기장의 혈투에 비하면 로마제국과 대영제국의 시차만큼이나 이성적이고 합리적인 게임이다. 노예의 본능적 쟁투에 환호하는 군중과 축구선수들의 동작 하나하나에 감격하는 군중은 어떤 차이가 있을까?

사실 현대 축구에서 골키퍼에게 백패스 했을 때 손으로 잡는 것이 금지된 것은 얼마 되지 않은 일이다. 마치 여성의 참정권이 생각보다 최근의 일이라는 것과 다르지 않다. 축구는 건장한 체격의 검투사 같은 선수들이 원형경기장에서 집단으로 싸우지만 무척 이성적인 싸움이다. 로마의 원형경기장의 피비린내는 현대 축구장에는 없다. 고의적인 가해는 가차없이 '검투사'로 하여금 원형경기장을 떠나게 한다. 로마의 원형경기장에서 유로2012가 열리는 지금의 축구장까지 군중은 열광하지만 그 내용은 너무나도 격차가 크다. 노예의 본능에서 축구선수의 이성으로의 진화. 원형경기장의 변천 속에 숨어있는 군중과 권력의 운명적 관계를 동양의 상징 China에서 로마제국과 대영제국의 실황중계를 통해 시간을 거슬러 올라가며 상상하는 즐거움을 이 책의 즐거움으로 연장시키고 싶다.

나는 역사를 본능의 시대, 감성의 시대, 이성의 시대, 영성의 시대로 애써 구분하고자 한다. 이 구분은 비단 역사뿐만 아니라 개인의 인생사에서, 가족사, 마을 공동체, 사람이 모여 시간과 공간을 공유하는 모든 유기체에 이르기까지 일관되게 관철되고 있다. 물론 기계적 구분은 있을 수 없다. 각 시대에 어떤 속성이 가장 광범위한 우점종의 영향력을 미치느냐로 구분되는 생물학적이고 동적이고 상대적인 구분이다. 예를 들면 철기시대에도 청동기나 석기가 사용되었던 것처럼 시대의 명칭도 어느 것이 가장 보편적인 것이냐를 기준으로 한다.

그러나 기존의 역사나 시간을 구획하는 것과는 사뭇 다른 기준이며 비이성적인 권력을 지양하고자 하는 분명한 목적과 지향이 내재되어있는 이론이 되길 바란다. 통시적으로는 세계사의 일반적 흐름을 예시로 들지만 권력의 양태, 질을 논하기 위해 이 글을 쓰는 만큼 한국의 정치 상황이 2차 대전 이후 다양하고 축약된 모델이 되는 데는 더 없이 좋은 근거가 되기에 충분하고 또 그 격동의 정치 한가운데 있었던 나는 주관적인 오류도 있을 수 있지만 생생한 느낌을 전할 수 있으리라 자부한다.

생산력과 그에 상응하는 생산관계의 일정한 조응으로 사회구조를 바라보고 계급지배의 단순성에 매몰된 좌파의 권력에 대한 시각도 그 일부에서만 채택될 수 밖에 없음은 모두 주지하는 바다. 이에 반해 우파의 정치경제학은 그 유연성과 실용성으로 현상을 증명하는 데에는 비교적 사실적이었지만 귀납적 논리 전개는 언제나 미래에 대한 불투명을 숙제로 남겨 놓았다. 이제 정치경제학의 과제는 권력의 질을 논해야 할 때가 되었다. 권력의 형태나 역사를 단순히 기술하는 것은 이제는 무의미하다. 우리가 상품을 고를 때 궁극적으로는 그 질을 가지고 선택한다. 가격은 상대적이지만 질은 절대적이기 때문이다. 사람들은 이제 '삶의 질'의 향상을 궁극의 사회적 목표로 설정하기에 주저하지 않는다. 국가나 사회의 각 단위마다 '삶의 질'을 구성하는 요소는 헤아릴 수 없이 많다. 그 중 그 구성원들이 생산하고 소비하는 요소들이 대부분이며 권력 또한 예외가 아니다. '삶의 질'의 수준을 결정하는데 권력은 후진적인 사회일수록 더 실감나게 드러난다. '권력의 질'에 대해 이제 그 권력의 소비자로서 밀도 있게 생각해봐야 하는 절박한 시대에 이르렀음을 많은 사람들은 동의하지만 '권력의 질'을 판단하는 기준이 추상적이고 주관적이며 때로는 자신의 이해(권력을 향유하는 세력의 이해)에 따라 심각히 조작되기도 해 왔다. 디지털 카메라를 비롯한 영상기기 등의 질은 보통 화소 (picture element 畫素)로 표현된다. HD화질에 이미 익숙해진 시청자들은 아날로그 화면에 스트레스를 받을 수 밖에 없듯이 상품의 질은 그 자체로 소비자들에게 분명한 보편적 기준을 제공한다.

그렇다면 '권력의 질'을 표현하는 단위나 기준은 무엇인가? 한국에서는 새로운 정권이 들어설 때마다 자신들의 정부 앞에 수식어를 붙이는데 심혈을 기울인다. 김영삼 정권은 '문민정부', 김대중 정권은 '국민의 정부', 노무현 정권은 '참여 정부', 이명박 정권은 수식어는 없었지만 '가진 자들을 위한 서민의 정부' 아니면 '가진 자들의 서민의 정부'라고 붙이면 그럴듯할까? 아무튼 자신들이 성취한 권력의 포장을 그럴듯하게 하고 싶은 바람도 동서고금을 막론하고 한결 같으리라. 그것이 곧 권력의 속성이기도 하니까 말이다. 하지만 이런 수식어가 '권력의 질'을 말해준다고 생각하는 사람은 무식하거나 순진한 사람 외에는 없을 것이다.

보통 '민주주의'라는 표현을 '권력의 질'을 표현할 때 많이 쓴다. 3권분립이 엄격하게 국민을 주권의 상징으로 주저 없이 인정한다. 그러나 '민주주의'라는 수식어의 사용을 제한할 수 없기에 지구상의 모든 국가는 민주주의를 사용하지 않는 나라가 없다. 내전과 살육으로 얼룩진 아프리카의 부족 국가도, 코란이 헌법인 중동의 왕국도 민주주의를 주저하지 않으며, 한국의 감성적 애국자들이 그토록이나 증오하는 세습독재국가 북한도 엄연히 DPRK이다. 이쯤 되면 민주주의는 그저 권력이 존재하고 있다는 시그널 정도로 밖에 여겨지지 않을 것이다. 그럼에도 불구하고 사람들은 자신이 속한 국가의 권력으로부터 DPRK에 이르기까지 그 권력의 점수를 매기는 작업을 하루도 쉬지 않고 행하고 있다. 최악의 정권, 독재 정권, 나아가 위험한 정권 등등. 각국의 권력을 어떤 형식으로든 그 질감을 애써 표현하는데 많은 노력을 한다. 어떠한 목적에서였든 지금도 사람들을 각종의 권력에 그 레벨 정하기 놀이를 계속하고 있다. 이는 비단 국가 권력에 국한되는 일이 아니다. 사람들이 모여 있는 곳, 그곳엔 리더십이라고 표현되는 권력이 존재한다. '부드러운', '모범적인', '가부장적인' 등등.

2002년 월드컵에서 한국 축구는 불가사의한 성적을 거두었다. 어쩌면 앞으로도 다시 이루기 힘든 성적일 수도 있다. 주최국의 프리미엄을 감안하더라도 한국 축구가 4강에 들었다는 것은 불가사의라고 말해도 틀리지 않을 것이다. 그 불가사의를 두고 사람들은 히딩크의 리더십을 첫손 꼽는 데 주저하지 않는다. 안방축구, 고질적인 파벌, 그야말로 국내용, 기껏해야 아시아 4강이면 족한 실력인 한국 축구가 완전히 달라진 모습을 보여주었다. 감독의 질이 한국 국가대표의 질로, 나아가서는 한국 축구의 질로 전이되고 발전되었던 것이다. 2002년은 축구뿐만이 아니라 한국 사회 전반에 걸쳐 상당한 변화가 일어나던 시기였다. 정치 권력의 질도 이전 시기와는 개방성과 투명성에서 완전히 다른 시기가 되었다. 이는 김대중 정부의 50년만의 정권교체가 가장 큰 원동력이었고 우파의 비이성적 저항에도 불구하고 권력의 질은 탈권위로 진화되기 시작했다.

나는 이 책에서 한국 정치 즉 한국 사회의 권력의 질을 논구함으로 한국사회가 보다 긍정적인 미래로 나아가는 열망을 대신하고자 한다.

19대 총선이 끝나고 올 연말 대통령 선거를 눈앞에 두고 있는 시점에서 한국인들이 선택할, 아니 생산해 낼 권력의 질을 제시하고

자 한다. 지금 한국 사회는 지극히 불투명한 혼돈기를 좀처럼 벗어나지 못하고 있다. 이 책에서는 그 원인의 규명보다는 결과로 인해 빚어지는 열등한 권력의 질을 히딩크의 리더십으로 진화한 한국 축구처럼 그 대안을 제시하고자 한다. 19대 총선 내내 종북좌파 논란으로, 총선 후에도 온갖 저질스런 이념 논쟁이 대선까지 이어질 전망이다. 아니 남북이 분단되어 있는 한 이 저질권력은 계속 될 지도 모른다. 이 지점이 이 책을 쓰게 된 동기였고 목적임을 부정하지 않는다. 감성의 시대를 넘어서지 못하는 한국사회를 이성의 시대로 '권력의 질'을 높이자는 열망이 이번 대선에서 한국인들의 성취로 나타나기를 바라면서 거친 글의 행간을 너그럽게 이해해 주는 독자들의 사랑도 간절히 구해본다.

2012 가을. 고남재에서

추천사

누군가의 책을 추천한다는 것, 그것도 오랜 세월의 관계 속에 신뢰가 쌓인 사람의 책을 추천한 다는 것은 큰 기쁨이다. 왜냐하면 책 속에 그 사람의 영혼의 무게, 지혜의 무게가 고스란히 녹아 있기 때문이다. 오랜 친구 이철우 의원이 다섯 번째 책 '권력의 질'을 세상에 내 놓는다.

이철우는 분단을 숙명으로 사는 사람이고 독실한 기독교 신자다. 지금까지 내가 보아 온 이철우는 수도자처럼 자신의 지역구인 포천 연천을 옭아매고 있는 분단을 일생의 화두로 삼고 살아왔다. 이철우는 '분단으로 고통스럽지 않다면 일제하에서 고통스럽지 않은 것과 무엇이 다른가?'라고 묻고 있다. 이 책은 분단 한 가운데서 깨어있는 자, 이철우가 온 몸으로 느낀 그의 기도에 대한 하늘의 응답과도 같은 것이다.

개인적으로 이철우는 남편 김근태를 가장 가슴 깊이 이해하고 사랑한 후배 중의 하나다. 군사독재의 고문을 강한 정신력으로 이겨낸 김근태가 민주주의에 대한 희망을 더욱 강하게 밀어붙였듯이, 이철우는 본능의 시대(군사독재)에 고문과 감금으로 생긴 깊은 상처들을 연천·포천에 대한 사랑과 신실한 기도로 이겨냈다. 우리는 분단의 한가운데서 자신의 또렷한 영혼의 울림을 써내려가는 이철우를 만날 수 있다.

6월 항쟁으로 본능의 시대를 겨우 극복했지만 우리는 아직도 분단과 그로 인한 참으로 비이성적인 적대감 속에서 살고 있다. 이철우는 이러한 시대의 고통을 가슴에 쓸어내리며 이 책을 썼다.

올해는 '87년체제'가 25년째 되는 해다. 이철우의 깊어진 영혼과 통찰은 단순히 변화나 정권교체를 주장하지 않는다. 이철우는 삶의 질처럼 권력의 질이 중요하고 소위 '2013년체제'는 권력의 질적 도약이어야 한다고 말한다. 이철우는 깊어진 자신의 영혼만큼 우리의 영혼 깊숙이 찾아와 묻고 있다. 여전히 꿈꾸고 있는가? '감성의 권력'에서 '이성의 권력'으로의 질적 변화를 소망하고 있는가? 여전히 꿈꾸고 있고 변화를 소망하는 많은 독자들의 관심을 기대해본다.

2012년 11월 국회의원

인 재 근

목차

제 1 부

본능의 권력

한국정치는 증오의 정치다. 감성적이다. 특히 선거 때가 되거나 이해관계가 첨예하게 대립하는 법률의 개폐 등으로 양립할 때에는 그 증오가 감성에서 본능으로까지 격화되어 충돌한다. 사람은 먹고 자고 스스로 생명을 유지하고 종족을 번식하는 동물 일반과 같은 본능적인 존재다. 한국사회도 신분제도 즉 노비제도가 사라진지 1세기도 되지 않는다. 노비, 노예야 말로 본능적 권력의 상징이다. 로마제국의 근간은 이 노예였고 검투사들도 싸우는 노예였다. 생물학적 본능에 직접 제약을 가하거나 그 본능의 약점을 이용하는 권력을 우리는 근대이전에는 상식으로 인식하였다.

한 개인의 인생사도 마찬가지로 관통하는 시기가 있다. 영, 유아기가 바로 본능의 시기다.

어린 시절 (지금은 그런 일들이 없겠지만) 초등학교에는 눈에 보이지 않는 서열이 있었다. 그 서열은 대체로 누가 싸움을 잘하느냐였다. 이때마다 아이들은 결투를 신청하고 방과 후 친구들이 둘러싸고 보는 가운데 막싸움을 한다. 먼저 울거나 코피가 나면 지는 것이다. 물론 끝까지 막무가내인 친구는 그냥 서열을 인정받지 못하고 아무도 상대해주지 않는다.

중세 유럽의 기사들의 결투도 이와 크게 다르지 않을 것이다. 자존심과 이익을 위해 칼을 들고 싸우는 것이다. 로마 원형경기장의 노예 검투사들의 다양한 싸움은 수많은 귀족들의 최고의 놀이였다. 귀족 권력의 상징이었다. 사람은 영, 유아기 시절까지는 스스로 자신을 영위할 수가 없다. 어머니가 필요하고 가족이 필요하고 수많은 도움이 필요하다. 어린이가 마땅히 보호되어야 하는 이유는 바로 이 때문이다. 다른 동물들의 영유아기가 사람만큼 길다면 아마 많은 개체수가 사라졌을지도 모른다. 이런 영유아기는 본능이 삶의 대부분을 지배한다. 배고픔, 고통, 기쁨이 본능적 요구에 대한 만족에 절대 의존한다. 물론 감성, 이성, 영성이 전혀 없다는 말은 아니다. 소나무 숲이라 하면 숲이 소나무만 있어 보이는 우점종이 소나무란 뜻이지 소나무 외에는 다른 식물이나 나무가 전혀 없다는 뜻은 아니다. 이런 영유아에게는 감성적 언어나 이성적 이데올로기나 영적 주문이 먹힐 수 없다. 엄마의 냄새, 배고픔을 해소하며 갖고 싶은 것 등등의 1차적 욕구를 만족시키면 된다. 아주 오래된 사진들을 추억하면서 우리는 어린이들의 모습에 눈길이 머물 때가 많다. 구한말의 사진 속에 남루한 아이들, 한국전쟁의 폐허 속에 굶주림에 시달리는 아이들, 아프리카 난민들의 처참한 모습들에 이르기까지 그 아이들에게는 다른 어떤 고상한 감성이나 이념, 영적 구원 따위가 필요할까? 그들에게는 배부르고 안락한 쉼터가 필요하다.

인류사에도 (최소한 역사가 기록된 시간만 따져도) 10분의 9에 해당하는 시간 아니 어쩌면 100분의 99, 1000분의 999의 시간이 이런 원초적 욕망을 채우기 위해 대부분의 노력을 기울이고 분투해온 시간이었을 것이다. 이런 본능적 삶을 충족시키기에 가장 많은 시간과 노력을 소비해야 하는 시대에는 신분제도가 동서를 막론하고 강력한 사회제도가 된다. 대다수의 노예 신분과 소수 귀족으로 양분되다가 인도의 카스트나 중세의 농노, 조선의 양반제도 등 4개의 신분으로 세분화 되면서 본능의 권력은 장기화되고 고착화된다.

이런 시대에도 상류층이나 지배층의 이데올로기를 만들어내는 지식인층이 지금보다도 더 창조적이고 활발한 사유를 하기도 한다. 고대 그리스, 로마의 수많은 저술들, 춘추전국시대의 제자 백가 등은 대표적인 예라 할 수 있다. 그러나 대다수의 민중은 본능적 삶의 굴레에 매여 있는 시대일 뿐이다. 이 시기에는 크고 작은 전쟁이 수없이 전개된다. 기록되지 않은 전쟁이 더 많으리라.

클라우제비츠는 전쟁은 정치의 연장이라고 일찍이 갈파했다. 전쟁은 가장 본능적인 정치 행위이다. 비록 그 전쟁 안에 본능, 감성, 이성, 영성이 다 동원 되더라도 전쟁은 본능의 정치고 그로 인해 만들어진 권력 또한 본능적이기 마련이다. 전쟁은 아무리 그 동기가 정의롭다해도 어떠한 애국심으로 치장한다해도 모든 것을 본능으로 수렴하는 원초적인 권력 투쟁이다. 전쟁터의 생존 본능이야말로 가장 낮은 권력의 질을 잘 보여주는 예다.

본능의 권력은 보통 밀실과 고문실을 권력 연장의 수단으로, 아니 필연적으로 두게 된다. 고문실의 수사관과 피의자는 어떤 이유였든 간에 동물적인 본능에 의존하는 최악의 긴장이다. 우리는 이런 고문실을 아주 최근까지 경험했었다. 이제는 그 어떤 범죄보다 용서받을 수 없는 죄가 고문이라고 상식화 되었지만 10여년 전만해도 상황은 그리 만만치 않았다. 전쟁, 고문, 감금, 테러, 암살, 학살 등 무시무시한 용어들이 지금은 남의 나라 일처럼 여겨지지만 언제, 어느 때 우리도 본능의 권력으로 뒷걸음치게 될지 아무도 알 수가 없다. 그것은 바로 분단이라는 굴레가 우리를 언제든지 역사를 거꾸로 돌게 할 수 있는 허약하기 이를 데 없는 안전핀이기 때문이다.

본능적 권력은 겉으로 보기에는 다양한 외피를 쓰고 나름의 지배 이데올로기를 갖추고 있다. 그러나 그 실상은 본능의 제약을 통하여 대중들을 본능적 욕구의 울타리 안에 있게 하는 것이다. 회교국가의 차도르는 사실 코란과 회교 전통의 절대 권력의 상징이다. 2000년 전 유대사회의 숨 막히는 율법에 사실상 반기를 들고 사람이 사람답게 사는 세상, 그것이 하나님의 뜻이고 하나님의 존재의 이유였음을 십자가라는 본능적 권력의 상징에 매달려 온 인류에게 보여주려 했던 그것, 바로 유태인들의 율법이었다. 안식일을 지키는 데에만 수십, 수백 가지의 제약이 필요했던 권력이 모두 그들의 야훼를 위한 것이라고 말하여져도 실상은 대중들의 본능을 제약하는 것 이상도 이하도 아니었던 것이다.

사우디의 공주가 최초로 영국 망명을 신청했다는 뉴스가 지금 올라왔다. 여러 가지 이유가 있는지 모르지만 세계의 많은 사람들은 차도르와 여성성에 대한 억압을 생각해 볼 겨를도 없이 떠올릴 것이다. 그들의 코란은 대중들의 마음을 움직일 때까지 유효하겠지만 언제까지일지 아무도 예측할 수 없을 것이다.

한국사회에서 본능의 권력은 일제 식민치하로부터 생각해보자. 조선시대의 신분제사회는 더 이상 설명이 필요치 않기 때문이다. 일제는 대동아공영, 조선의 개화 등 다양한 슬로건을 내걸었지만 일제의 식민지 권력은 말초적 본능의 권력이다. 일제는 그들의 제국주의적 수탈을 위해 조선인들의 본능적 욕구를 철저히 통제하는 수법을 동원했고 악랄하기가 이를 데 없었다. 물론 그 권력에 편승한 친일파들이 훗날 한국의 현대정치의 상당한 기간을 점유하게 되는데 이 때문에 완전한 청산이 이루어지지 못하고 본능의 권력이 연장되었던 것이다.

본능의 권력이냐 아니냐를 판가름하는 기준은 그들의 권력의 위기를 무엇으로 최종적으로 지탱하게 하느냐에 달려있다. 폭력, 고문, 살해, 감금 등 동물적인 본능 통제가 사용되어지면 아무리 고상한 철학이 회자된다해도 그것은 본능의 권력이다.

한국의 경우 중앙정보부, 안기부, 국정원에서 고문이 사라졌다면 그제서야 본능의 권력을 벗어났다고 말할 수 있다는 것이다. 본능의 권력이 유지되기 위해서는 무지막지한 본능의 통제만이 필요한 것은 아니다. 본능의 권력을 유지하기 위해서는 무자비한 공포가 상존하지만 한편으로는 왜곡된 애국심도 치밀한 역사학습도 다양한 문화예술적 수단도 널리 사용되어진다. 심지어 민주주의의 보편적 수단인 선거, 투표도 사용된다.

철학적 사색이 세계 최고 수준이라던 독일 국민은 그들의 손으로 작성한 투표용지를 통해 히틀러를 본능의 권력자로 만들었다. 그는 수백만의 유대인을 학살하고 전 세계를 전쟁의 수렁으로 몰아넣은 권력자다. 왜곡된 정치(이데올로기, 애국심, 적대감, 종교적 신념 등)로 위장된 본능의 권력은 더 무서운 결과를 낳게 된다는 것을 잘 보여준 증거다.

지금도 중국은 관영CCTV나 각 성의 TV 방송국에서 매일 항일드라마가 수없이 방영되고 있다. 중국 공산당이 중국을 통일하게 된 계기는 바로 제국주의와의 전쟁을 통해서다. 그 중에서도 일제와의 투쟁은 그 어떤 제국보다도 중국인의 감정을 격화시켰다. 만주사변, 난징대학살 등 아직도 사실 자체를 인정하지 않는 일본은 중국의 지배층에서 볼 때에는 현재진행형의 국민계몽운동의 딱 좋은 먹잇감이다.

이와는 반대로 한국의 TV에서는 8 · 15 광복절마저도 항일특

집드라마가 없어진 것을 보면 한국은 일본보다는 북한이라는 더 리얼한 최근의 적이 있기 때문이라는 생각을 하게 되지만 한편으로는 한국의 지배 권력의 일부는 섬세한 드라마로 그려지는 반일이 자신들을 부정하는 것으로 느껴지는 것도 매우 중요한 이유일 것이다.

본능의 권력은 대중들에게 단순한 적대감을 부추기기를 좋아하고 그 적대감의 대상이 자신들이 지배하는 대중이기도 하다. 본능의 권력은 대체적으로 경제적 수준이 절대적 빈곤에 머무르고 있는 나라들에서 나타나는 보편적 현상이기도 하다. 빈곤은 그 자체로 본능을 억압하는 사회 시스템의 일종이기 때문이다. 한국에서 본능의 권력이 사회를 지배하던 시기도 이런 경제 사정과 거의 일치하게 된다. 박정희 정권이 빈곤의 탈출을 국가적 목표로 정하고 이를 일정부분 달성하면서도 권력은 늘 본능에 의존하게 된다. 수없는 정치범들을 살해하고 고문하고 투옥하였고 상존하는 혁명의 위험에 늘 직면하고 있었다. 박정희 정권의 몰락이 곧 새로운 권력의 질로 이행하지 못하고 전두환의 군사정권도 본능의 권력의 막차를 타면서 한국은 본능의 권력시대를 10여 년 더 연장하게 된다. 그 10여 년은 한국사회를 엄청난 소용돌이로 몰아갔고 전 대중이 본능의 권력에 본능으로 맞서는 일전불사를 경험하게 된다. 이는 최근에 불어 닥친 중동의 자스민 혁명과 유사한 경험이다. 식민지 권력에 편승하고 반공권력에 자신들의 이익을 연장해오던 한국의 극우정권이 더 이상 본능의 억압과 통제라는 시스템을 고수할 수 없음을 인정한 사건이 바로 6월 항쟁이다. 그러나 87년 체제 이후 10년은 그 횟수가 현격히 줄어들지만 여전히 본능의 권력의 향수가 남아있다. 고문, 밀실 수사, 각종 정보기관의 사찰 등이 그 예다. 결국 본능의 권력은 언제나 본능을 억압받은 대중들의 본능의 분출로 종식되게 되어있다.

서구의 민주주의의 역사가 이와 다르지 않으며 어떠한 역사의 진전도 그 대가를 치루지 않은 적이 없다. 이는 극우주의자들이 대중의 만족은 순전히 자신들의 영리함 때문이라고 너스레를 떠는 것과는 아무런 연관이 없다는 것을 보여주는 좋은 예다. 3류 우익들이 이승만, 박정희를 국부로 숭상하면서 지금도 치졸한 선민의식에 사로잡혀 있는 것을 보면 가관이 아닐 수 없다. 식민지 권력에 편승했던 자들이 한 손에 반공의 횃불을 들고 또 다른 본능의 권력을 사용하게 되었던 것은 한국의 참 불행한 역사의 한 단면이다. 분단과 6·25전쟁은 남과 북 공히 이런 본능의 권력을 가능케 했던 필요하고도 충분한 조건이 되었다. 여기서 복잡함을 피하기 위해 외세와의 관련성은 독자들의 인식의 깊이에 의존하고 싶다.

3류 우익들은 시종일관 전체주의적인 발상을 포기하지 않는다. 그들은 본능의 권력을 선호하고 가능하면 언제든지 사용하고 싶은 충동을 느끼는 부류들이다. 그러나 그들도 87년 체제의 확립으로 더 이상 전쟁의 상황이 아니고는 본능의 권력을 사용할 수 없음을 인정하게 되었다. 그러나 아직도 그들의 마음 속 깊은 곳에는 본능의 통제를 그리워하고 있을지도 모른다. 왜냐하면 절대악 북한과 그 추종세력들이 너무나도 많아 보이기 때문이다. 3류 우익들은 그들의 반대자에게 북한을 미워한다고 광화문 네거리에서 목소리 높여 외쳐보라고 주문한다. 그렇지 않으면 절대악 북한을 좋아한다고 인정하겠다는 것이다. 절대악을 좋아하는 자는 언제든지 본능을 억압 통제해도 정당하다고 그들은 굳게 믿고 있는 부류들이다. 그리고 그들은 한번 북한을 가까이 한 사람은 영원히 그 생각이 변해서는 안 된다고 강변하고 있다. 왜냐하면 그들을 위해 이 절대악과 그 친구들이 너무나도 절실하게 필요하기 때문이다. 만약 그들에게 낙인찍힌 사람이 생각이 바뀌었다 해도 그것은 무의미하거나 더 못된 일일 경우가 많다. 진정 생각이 바뀌거나 아니라는 것을 증명하려면 그들 앞에 무릎 꿇고 더 이상의 그들에 대한 일체의 반론을 해서는 안 되는 것 외에는 없다.

3류 우익들에게 북한의 존재는 너무나 고맙고 귀한 존재가 아닐 수 없다. 그들은 그들의 이익에 반하는 사람은 모두 북한의 친구고 그들의 표현에 의하면 소위 종북이다. 그렇게 본능에 충실했던 그들도 더 이상 본능의 통제로는 자신들의 이익이 영속될 수 없다는 것을 잘 알고 있다. 그런데도 그들은 더 이상 한국에서 고문실을 운영할 수 없게 되었음을 아쉬워하고 있는지도 모른다. 그들의 논조를 보면 절절히 배어있다. 그것이 본능적 적대감에서 나온다면 그리 무섭지 않은데 실은 치밀하게 계산된 이데올로기들이라는데 우리의 불행이 있는 것이다. 그들은 본능의 권력에 맞섰던 항일운동, 민주화운동의 핵심은 언제나 공산주의와 종북주사파라는 점을 애써 강조한다. 그들은 친일파에게는 무딘 이빨을 가졌고 독재자들에게는 언제나 눈을 내리 깔고 살고 있다. 하지만 미미한 '종북주사파'에게는 승냥이처럼 달려들곤 한다.

이들이 본능의 권력시대에 무엇을 했는지는 스스로 말하지 않을 뿐 아니라 은근 슬쩍 민주화운동가로 자신의 명함을 만들기도 한다. 본능의 권력은 그것을 유지하는데 엄청난 에너지가 필요하다. 대중들의 분노를 억압하는데 효과적 장치들을 만드는데 3류 우익들의 세 치 혀가 늘 필요로 했다. 그것은 바로 진영을 만드는 일이었다. 그들의 머릿속은 언제나 흑백밖에는 없다. 어떻게 대중을 두 편으로 만들까? 대중 앞에 절대악을 세워 스스로가 절대악으로부터 대중을 지키는 역할을 하고 있다고 말할 수 있는 방법만을 골몰하는 그들의 뇌는 이제 너무 습관이 된 나머지 스스로도 반반의 역할대행 뇌를 가지고 있다. 스스로 공산주의자도 되어 보고 또 그 공산주의자를 토벌

하는 역할자도 되어본다. 그 역할놀이가 이제 더 이상 놀이가 아니라 숙명이 되어버린 사람들이 3류 우익들이다. 그러나 87년 6월은 그들도 흔쾌하지는 않았지만 본능의 권력의 종언이 현실일 수 밖에 없었다.

잠시 3류 우익들의 사고 방식을 떠나 그들과 대척점에 있던 부류들은 어떠했고 지금은 어떤 생각을 가지고 있을까? 천편일률적이지는 않지만 그 소용돌이의 한가운데 있던 필자의 소회를 소개하는 것으로 그 단면을 보여주고자 한다.

사실 모든 사람은 자신들의 처지나 환경으로부터 완전히 자유로울 수 없다. 나는 4 · 19가 있던 해에 태어났다. 박정희 집권 18년은 고스란히 나의 유년기요 청소년기다. 가난과 군사정권의 권위주의 그리고 반공반북. 이것이 나를 둘러싼 환경이었다. 그런데 3류 우익은 이 가난을 군사혁명으로 잡은 권력으로 극복하여 절대악 북한으로부터 나를 지켜준 고마운 시기였다고 말한다. 이걸 부정하면 종북, 친북이란다. 그 시절을 살았던 잘못밖에 없는데 몸소 살았던 사람들의 의사는 중요하지가 않다. 그냥 인정하라는 것이다. 이것이 3류 우익이다. 이렇게 자란 나는 자아가 싹트고 정의감이 충실하던 청년의 때에 광주학살을 접하게 된다. 이 본능적 권력의 집단 살인은 어떤 명목으로든 정당화 될 수 없었다. 그것은 지금도 마찬가지다. 왜냐하면 누구든 살인을, 그것도 권력에 의한 살인을 정당화 할 수는 없기 때문이다. 박근혜 후보도 자신의 아버지의 일을 사과하며 어떤 목적을 위해 수단이 정당화될 수는 없다고 말했다. 3류 우익들은 아직 차마 전두환을 찬양하지는 못한다. 물론 전두환 집권 시절에는 '단군 이래 최고 성군'이라며 고름을 빠는 행위를 말할 수 없이 많이 했지만 말이다. 그러나 그들이 한국에서 더 이상 설자리가 없어지는 전야에는 전두환마저 국난극복의 영웅으로 재평가할지도 모른다. 그런 조짐이 보이고 있다.

본능의 권력이 한국에서 그 시대적 종말을 예고하고 있을 때 나는 온몸으로 그 본능에 본능으로 맞섰다. 그들의 최루탄에는 화염병으로, 그들의 비밀경찰의 감시에는 비밀조직으로 맞섰다. 살인마 전두환과 그의 고름빠는 3류 우익들과의 일전을 위해 모든 것을 내던졌다. 청춘의 정열과 경솔함(?) (이는 뒤에 북한에 대한 입장에서 설명하겠다)이 아니면 불가능할 일들이었다. 절박한 눈앞의 걸림돌의 제거를 위해서라면 나는 모든 것을 받아들일 수 있는 마음의 준비가 되어있었다. 이승만, 박정희를 이은 전두환과 3류 우익들의 정당성의 기초는 반북이었다. 우리들은 전두환과 3류 우익들에 대한 증오가 극에 달해 있었기 때문에 '적의 적은 친구'라는 말처럼 전두환과 3류 우익들이 그렇게 미워하면 혹시 그렇게 나쁜 집단이 아닐 수도 있다는 자연스런 짐작을 했다. 마르크스·레닌주의와 계급주의가 한국의 민주화운동에 일정부분 기여한 것은 사실이다. 해방 이후 한국의 교육은 한마디로 철학이 없고 왜곡된 역사로 일관되어 왔다. 나를 포함한 학생들이 입시문제를 푸는 데는 능란할지 모르지만 사고력, 창조력이 낮은 편이었다. 이런 학생들이 어렵사리 대학에 들어와서야 본능의 권력자들이 금기시 해 놓은 책들을 읽고 소곤소곤 그 권력자들의 터부를 말하는 긴장을 맛보게 된다. 이때 나는 그동안 무슨 교육을 받았는가? 씁쓸한 마음이 들지 않을 수 없었다. 아마 동시대를 살았던 내 친구들도 정도는 다르지만 대체로 같은 심정이었으리라 믿는다.

구소련의 변화와 몰락은 마르크스·레닌주의와 계급주의에 대한 신뢰가 급격히 낮아지는 계기가 되었고 분단 문제에 대한 해답이 시원치 못한 이론에 대한 회의가 커지면서 자연스럽게 북한의 주체사상이 대학가를 중심으로 혁명의 수단으로 차용되기 시작하였다. '강철서신'의 활동가의 품성론이 운동권들의 마음을 사로잡았다는 사실이 얼마나 우리의 철학적, 인문학적 빈곤이 깊었는가를 반증해 주는 일이었다. 그렇지만 혁명의 순수한 열정에 불타있었던 젊은이들에게는 한줄기 빛이었는지도 모른다. 그 '강철서신'도 이제는 그가 그토록 증오했던 3류 우익들의 친구가 되어 있는 것도 역사의 아이러니이긴 하지만 말이다.

분단이 일만 악의 근원이라고 생각한 젊은이들에게 통일은 운동의, 혁명의 종착역이 되었다. 게다가 살인마 전두환과 3류 우익 그들은 친일과 친미계열의 적자들이라 규정되었고 이들의 퇴출은 자연히 친북적인 통일을 의미했다. 북한의 한민전의 신년사나 구호가 권위를 가지게 되었고 확인할 수는 없었지만 북과의 직접적 연계도 있다고 회자되기도 했다. 이때 전위조직을 자처하는 조직들이 생겨나고 직접 대중운동에 참여하기도 했다. 나도 그 일원이었으며 전두환과 3류 우익들에 대한 증오가 북한을 차마 미워할 수 없을 만큼 커졌다.

하지만 우리들 내부에서도 북한에 대한 생각을 치밀하게 할수록 걸리는 문제가 '수령론'이었다. 척박한 독재의 땅에서 역사적, 철학적 개념이 빈곤하였던 나였지만 독실한 기독교 집안에서 자란 영향으로 사람이 우상화되는 것에 대한 거부감이 적지 않았다. 어쩌면 그 이유 하나가 지금까지 북한에 대한 근원적 동의를 할 수 없었음이었을 것이다. 그러나 북한과 주체사상과 전위그룹을 자처하는 사람들은 90년대에 접어들면서 민주화와 통일에 대한 대중의 열기가 뒤섞여 혼돈스러운 상황에 이르게 된다. 여기에는 북한의 쇠퇴와 상대적으로 한국의 경제발전이 중요한 베이스가 되었음도 부정할 수가 없다. 전두환과 88올림픽은 이런 역사를 잘 보여주는 쇼윈도의 역할을 충실히 했다. 전두환과 3류 우익들로 촉발된 민주화 운동은 다시 분단과 북한이라는 현실적 존재 앞에서 다시 한번 숨고르기를 할 수 밖에 없었다. 한국의 변화, 한반도의 통일이 그리 순수한 열정만으로는 가능하지 않다는 것을 하나 둘 깨닫기 시작했다.

중국의 약진과 동북아의 국제질서를 선불리 제어할 수 없는 것이라는 엄연한 사실을 알게 되었다. 하지만 이런 변화들의 원동력은 바로 한국의 민주화였다. 북한과 마찬가지로 반국가 단체였던 중공, 소련도 그 법의 영향권에 있었던 시절, 밀실의 고문과 비밀경찰들이 전 국민을 감시하고 지금도 지역사회 곳곳을 조직화하고 있는 관변조직들이 바로 감시기구로 활동하던 시절 우리는 그 어느 것도 있는 그대로 볼 수 있는 눈을 가질 수 없었다.

전두환과 3류 우익이 그토록 미워하니 혹시 친구가 아닐까? 생각했던 상식의 순진함도 혹독한 대가들을 치루면서 북한을 바로 알기 시작했다. 박정희와 전두환 3류 우익들이 왜곡해 놓은 북한도 아니고, 반공이 미워 북한을 친구로 여기는 순진함도 아닌 그야말로 있는 그대로의 북한을 알게 된 것은 수많은 공안사건(조작, 과장된 사건들)을 겪으면서 남과 북의 실상을 있는 그대로 알게 되었다. 남과 북의 집권층은 어찌 보면 그들의 지속적 집권을 위해 매우 극단적인 선택을 상시적으로 할 수 있는 극단주의라는 것을 이해하게 되었다. 이렇게 한국의 본능의 권력은 극우집단이나 극우가 표현하는 좌익들 혹은 친북, 종북이라는 집단까지 모두 본능의 권력의 시대로부터 동반 탈출하게 된다.

한반도에서 최초로 그것도 반쪽인 한국에서 본능의 권력 시대를 마감하기까지 치루었던 대가는 이루 헤아릴 수 없는 희생을 겪은 후라는 것, 6·25를 겪고 50년이 흘러서야 가능했던 것, 킬링필드의 캄보디아나 중동의 수많은 나라들이 아직도 본능의 권력의 단계를 벗어나지 못하고 있는 것에 비하면 한국의 진전은 의미심장하지 않을 수 없다.

제 2부

감성의 권력

앞에서도 말했지만 소나무 숲이라고 소나무만 있는 것은 아니다. 우점종이 소나무라는 뜻이다. 본능의 권력은 고문, 감금, 살인 등 다양한 폭력을 통해 권력을 창출, 유지하는 것을 말한다. 본능의 권력도 감성과 이성과 영성이 동원된다. 로마제국도, 동양의 수천년의 제국들도 본능의 권력을 통해 인류 역사의 대부분을 소비해 왔지만 그 시대에 이미 인류의 고전적 성취들이 다 이루어졌다. 문화, 예술, 철학, 과학 등의 학문과 종교들이 치밀해지고 고도의 경지에 이르게 된다. 그럼에도 불구하고 권력은 본능에 의존했다는 것이다. 본능의 권력을 유지하기 위해서는 대중들의 감성을 자극하고 이용하는 고도의 기술이 필요하다

로마제국은 게르만이라는 유목민족에게 유럽을 내어준다. 이를 우리는 중세라고 한다. 로마인들이 보기에 게르만은 야만인이 아닐 수 없었다. 그러나 게르만은 유럽을 정복하고 그뿐 아니라 그들의 샤머니즘적 신앙을 버리고 신속하게 기독교를 받아들인다. 중세의 기독교는 샤머니즘을 대신했다는 측면도 있지만 샤머니즘보다 더 저급한 마녀사냥을 감행했던 것이다. 마녀란 바로 무당이다. 게르만의 샤머니즘 숭배자였을 것이다. 기독교를 받아들인 게르만은 자신들을 방해하는 적대자를 제거하는데 바로 '마녀사냥'을 이용했던 것이다. 수백 만 명이 마녀로 몰려 죽었다. 누군가 "마녀다!"라고 외치면 지목된 사람

은 자신이 마녀가 아님을 증명해야 한다. 그러나 마녀가 아니라고 강변하면 할수록 사람들에게는 더욱더 마녀로 보이는 것이다. 본능적 권력인 정적에 대한 제거방식으로 사람들에게 사탄의 선입견, 오해를 갖게 하는 것이다. 이것이 감성의 역할이다. 증오, 편견, 오해 혹은 열렬한 숭배도 같은 의미다. 아메리카 신대륙을 발견한 백인들 그들은 신대륙의 인디언들을 제거하지 않고는 광활한 땅을 차지할 수 없었다. 그러나 인디언들을 그 땅에서 추방하기 위해서는 그들만의 정당성을 스스로 다짐할 필요가 있었다. 하나는 신의 명령이고 하나는 야만스런(?) 인디언에 대한 백인의 우월감, 공포감 등을 갖게 하는 것이다. 인디언은 야만적이고 폭력적이고 반문명적이다. 그러므로 그들은 이 신의 땅을 차지해선 안된다. 백인들은 인디언에 대한 오해와 편견을 극대화하고 아메리카 대륙에서 완전히 제거하기에 이르렀다. 과연 백인들이 생각하는 만큼 인디언이 무섭고 야만적일까?

한국정치에서 본능의 정치로 압제하던 박정희 정권에서 급격히 지역감정이 정치적 대립으로 격화되었다. 영·호남의 대립. 1970년 대통령선거 박정희 후보 측은 당시 신예 김대중의 이미지에 전라도와 빨갱이를 덧칠하고 온갖 부정선거를 감행하여 재집권을 한다. 하지만 이때가 박정희 정권의 변곡점이 되고 말았다. 영화 '위험한 상견례'를 보면 지역감정이 어떻게 일상에도 뿌리깊이 스며들었는지 잘 보여준다. 사실 영남과 호남은 그렇게 차이가 있거나 오해하고 있는 것들이 개별의 일이나 성향이지 보편은 절대 아니니다. 내가 4년 8개월의 감옥생활을 하면서 경상도와 전라도에서 각각 1년 6개월씩 살았던 적이 있다. 처음 김천교도소로 이송되면서 나는 순진하게도 경상도에는 재소자들이 많지 않을 것이란 생각을 했다. 왜냐하면 본래 죄인들은 전라도가 많다고 사람들은 생각 없이 믿고 말하고 있었기 때문이다. 그러나 경상도 감옥에도 경상도 사투리 쓰는 죄수들로 넘쳐났다. 나는 전방에서 어린 시절을 보냈다. 그때에도 동네에서 영향력이 있는 어른들의 입에서 전라도를 폄하하는 말을 많이 들었던 기억이 있다. 지금도 경상도는 완전히 새누리당 일색으로 전라도는 민주당 일색으로 선거결과가 나온다. 이는 지역감정을 본능적 권력을 뒷받침하는데 영악하게도 활용했기 때문이다. 당분간 이 구도가 깨지기는 쉽지 않을 듯싶다. 이처럼 본능의 권력의 시대에도 감성적, 이성적, 영성적 도구들을 모두 동원한다. 그 중 감성적 영역이 더 효과적이고 수월하게 애용된다. 또 하나의 미움, 증오의 깊은 골짜기는 6 · 25에 대한 트라우마다.

▌6·25 트라우마

사람이 자신의 가치관을 바꾸는 일은 그 자체로 혁명이다. 우리가 지지정당을 바꾸기가 그리 쉽지 않은데 하물며 가치관은 더할 나위가 없다. 가치관을 구성하는 요소는 아주 다양하다. 출생, 가정환경, 교육, 사회환경이 영향을 주지만 엄청난 사건, 죽음을 넘나드는 충격은 곧 그 사람의 가치관을 송두리째 바꾸기도 한다. 암 선고를 받고 기존의 생활방식을 완전히 바꾸는 경우, 엄청난 배신으로 인해 예기치 못한 사고로 인해 기존의 생각을 바꾸는 사람들을 종종 본다. 허나 이는 개인사일뿐 사회적인 감정이나 생각을 만드는 데는 한계가 있다. 일정 지역, 일정 시간을 공유하는 사람들에게 한 순간에 충격과 아픔을 줄 수 있는 것은 전쟁이다. 물론 자연재해도 가능하지만 전쟁만큼 잔인하지는 않다. 한국인에게 있어 6·25는 지울 수 없는 마음의 상처고 변할 수 없는 생각의 틀이다. 6·25를 한국전쟁이라 칭하는 사람들, 동란이라 칭하는 사람들 다양하지만 그 원인은 이데올로기적이고 2차 대전 후에 새로운 세계질서 재편의 일부였다. 그러나 그것을 고스란히 겪은 한국사람들은 그런 이데올로기 이전에 적대감이 우선일 수 밖에 없다. 남은 남대로 북은 북대로 '빨갱이는 철천지 원수요 미제국주의와 역도들은 민족의 대원수'다. 이유, 조건 따위가 필요 없다. 이유와 조건을 달면 그 적대감을 더 크게 만들 뿐이다. 즉 6·25에 대하여 논리적 설명을 가하려 들면 이적행위로 오해받기 십상이다. 6·25에 관하여는 재론의 여지가 없다. 거기엔 적과 아만 있을 뿐이다. 한국의 정치현실은 이 6·25가 연화되어 진행되는 저강도 전쟁 같은 느낌이다. 마치 지리산 빨치산과 토벌대 사이에 끼인 양민들처럼 자신의 정치적 선택에 상당한 용기가 필요한 정치현실이 한국이다. 그것은 선거 때면 더 확연히 드러난다. 10여 년 전만 해도 선거 때가 되면 대형 북풍사건을 걱정해야했고 또 실제로 우연의 일치일지는 모르지만 그런 일들이 빈번했다. 대표적인 사건이 KAL 858기 폭파사건 일명 김현희 사건이었다. 참으로 우연히 아니 북한이 남한의 선거를 그들이 가장 혐오하는 민정당의 승리로 만들기 위해 감행했다는 게 당시 안기부의 해석이다. 이를 믿지 않으면 종북이다. 그러나 이제는 북풍사건(소위 공안사건)은 오히려 보수진영에 역풍을 가져오기 때문에 선불리 만들 수는 없는 시대가 되었다. 하지만 직접적인 북풍사건이 불가능해지자 이젠 한국 내의 친북, 종북으로 색깔전쟁을 치루고 있다. 3류 우익들이 대표적인 전위부대인데 이들은 무조건 과거 공안사건 연루자들은 종북이라고 매도한다. 자신들에게 전향의사를 말하지 않았다는 이유 하나만으로 말이다. 이들은 그들의 흑색 선전매체를 이용해 자극적이고 각색된 빨갱이 놀음을 한다. 그러면 보수언론이 (이들도 정치적으로는 자주 흑색선전 매체지만) 선별적으로 확산시킨다. 이때 3류 우익들에게 종북으로 낙인찍힌 사람들은 별반 대응이 없을 수 밖에 없다. 명예훼손으로 고발을 해도 '공공의 이익'을 위함이라는 이유로 유야무야 된다. 하지만 이들의 인신공격은 참으로 야비하고 반인륜적이다. 가족과 친지 등 한 개인의 명예만이 아니라 그와 관련된 모든 사람들의 인격을 모독하는 일이기 때문이다. 그럼에도 3류 우익들은 '구국의 일념'으로 그런 짓들을 한다고 한다. 2010년 지방선거를 앞두고 천안함이 침몰하는 초유의 사건이 발생했다. 이런 저런 조사 끝에 북한의 1번 어뢰공격으로 두 동강이 났다고 발표되었다. 물론 지금도 침몰의 원인을 두고 재판이 진행되고 있기도 하지만 천안함이 북한의 어뢰공격에 의해 침몰했다는 사실에 약간의 문제의식만 있어도 그것은 곧 바로 종북이다. 6·25가 현재진행형인 이유는 바로 감성적인 적대감만이 존재하기 때문이다. 그것은 남이나 북이나 마찬가지다. 한국인들 특히 6·25를 몸소 겪은 세대들은 이데올로기나 이성적인 차원이 아니다. 그냥 전쟁 트라우마다. 이들에게는 자칫 잘못하면 종북으로 오해 받기 십상이다. 이들에게는 북한은 절대악이고 완벽한 악의 집단이다. 물론 북한도 남한을 그렇게 생각한다. 이것은 바로 전쟁이 증폭시킨 감성 이상도 이하도 아니다. 전쟁터에서 서로 총을 겨누고 있다고 가정해보

자. 내가 먼저 쏘지 않으면 죽는 상황, 그것은 옆에서 죽어가는 동료를 보면서 본능적으로 알게 된다. 여기에 무슨 이성, 영성이 필요하겠는가? 전쟁은 이데올로기가 아니라 적대감이고 생존본능이다. 이를 이용한 권력투쟁이고 클라우제비츠의 말을 빌면 '정치의 연장'인 것이다. 이렇게 6·25 이후 한국과 북한은 서로를 혐오하게 하는 노력을 게을리 하지 않았다. 그것은 서로 자신들의 내부를 결속시키기 위해서도 필요했으며 동북아의 힘의 역학 관계가 이를 뒷받침하고 있기도 했다. 한국에서 남북관계에 대하여 미래지향적이거나 이성적인 시도를 한다는 것 자체가 불순한 것이 되기 때문에 특별한 신념이 없는 사람은 다중에 묻혀 살 수 밖에 없다.

지역감정

한국정치의 결정적인 요소가 지역감정인데 이는 수 십년간 크고 작은 선거에서 그 효력을 입증했다. 여든 야든 지역감정에 의지하지 않을 수 없는 게 현실이다. 물론 세계 어디든 출신지역이나 전통적인 지역색이 없는 나라가 있겠는가? 하지만 한국의 경우는 좀 더 독특하고 그 감정이 거의 적대적이라는데 특수성이 있다. 영·호남의 지역감정이 적대적인 수준으로 격화된 것은 바로 남북분단이라는 숙주가 있기 때문이고 5·18

전두환의 학살이 크게 증폭시키기도 했다. 그리고 각종 보수 언론들이 은연 중 이를 부추겨오기도 했다. 영·호남 특히 영남 권력이 호남인들에 대한 편견을 만들어 온 것은 박정희 권력 때 본격화 되었다. 70년 대통령 선거에서 김대중의 바람은 거셌다. 막강권력을 거머쥐고 있던 박정희의 위기감을 보면 이를 알 수 있었다. 나도 어린 시절이었지만 당시 공무원들이 각 마을을 방문하여 국수도 끓여 먹이고 각종 선거운동을 하는 것을 본 적이 있는데 나중에야 그것이 공권력을 동원한 선거운동이라는 것을 알게 되었다. 온갖 부정선거를 하면서도 간발의 차이로 권력을 유지한 박정희 권력의 조바심은 급기야 10월 유신이라는 최악의 선택을 하게 하는 계기가 되었다. 이 때 전라도는 본의 아니게 정치세력의 한 축이 되었고 김대중과 전라도 그리고 이들은 북한과 프렌들리하거나 은밀한 내통이 있을거라는 개연성을 은연중에 유포하였다. 게다가 전라도 사람의 범죄는 금방 전라도 일반의 범죄가 되었고 정치권력의 여파로 생긴 호남 차별은 박 정권 이후 수십 년 간 사회 전반에 걸쳐 이루어졌다. 그러다 보니 호남인들은 어디에 있으나 주시 받게 되고 생존을 위해 스스로 상부상조하는 집단을 형성해갔고 이는 또 야당의 중요한 정치 기반이 되기도 했다. 호남인이 열등하거나 나쁘다는 것에 논리적 설명이나 그 흔한 데이터도 없다. 그냥 '호남이니까'이다. 그것이 바로 감정이고 감성이다.

87년 6월 항쟁의 승리는 한국에서 본능적 권력의 한계를 분명히 확인하는 사회적 합의를 갖게 했다. 그 해 처음으로 직선제로 대통령을 선출하는 선거를 치렀지만 한편으로는 한국의 권력의 수준을 적나라하게 보여주었다. 6월 항쟁의 시민의 힘과 본능적 권력의 상징인 전투경찰의 산발적 쟁투가 계속되는 가운데 야권은 영·호남으로 갈리고 여권은 자신들의 기득권을 이용하여 권력을 연장하는데 성공한다. 남북과 영·호남의 감성적 시스템이 적나라하게 드러나게 되었다. KAL 858 폭파범 김현희는 최초로 치러지는 직선제 대통령 선거 전날 마스크로 얼굴을 가린 채 김포공항에 도착한다. 이 얼마나 극적인 일인가? 야권은 영·호남으로 분열되고 영원한 적 북한은 확실히 보수 정권을 선호하는지 참 절묘한 타이밍으로 대선에 영향을 주었다. 결과는 보나마나였다. 87년 6월 항쟁은 이것으로 일단락되었다. 이후 김영삼을 받아들이지 않고는 권력을 연장할 수 없었던 보수세력은 김대중에게 정권을 넘겨주기까지 6월 항쟁 이후 진정 본능 권력의 종식을 위해 10년의 숨고르기가 필요했던 것이다. 본능적 권력이 만들어 질 수도 없고 유지될 수도 없게 한국 권력의 질을 높인 것은 누가 뭐래도 6월 항쟁이다. 군부의 개입을 원천적으로 봉쇄할 수 있는 시민 의식의 성장, 밀실과 고문이 그 어떤 범죄보다 부도덕하다는 사회적 합의가 6월 항쟁이 지나고 10년이 지나서야 자리 잡기 시작했다. 어떠한 경우에도 전쟁 상황이 아니라면 본능적 권력의 시도는 불가능하게 되었다. 그런 까닭에 보수진영이나 진보진영 모두 이전보다는 더욱 복잡한 대중을 상대로 해야만 한다. 각종 매스미디어와 인터넷, 최근에는 SNS까지 대중의 의사를 결정하는데 다양한 시스템이 작동된다. 여전히 노년층에게는 공중파 TV와 보수 신문의 영향력이 절대적이지만 점점 세대 간의 정보 취득과 의사 형성이 새로운 정보시스템으로 급속히 변화되어 가고 있다. 나도 지역 신문 외에는 단 한 부의 종이 신문도 구독하지 않고 있다. 물론 그 신문들의 내용과 논조는 포털을 통해서 알고 있다. 신문의 논조는 포털에 올라온 제목만 보아도 알 수 있기 때문이다. 왜냐하면 우리나라 신문은 이미 모두 진영이 결정되어 있기 때문에 대부분 자신이 속한 진영의 입맛대로 쓰는 것이 상식이 되어버렸다.

본능적 권력의 생산과 유지도 감성의 동원이 절대적이라고 앞서 언급했다. 이 또한 이성적인 시스템의 기초도 반드시 필요하다는 것도 강조하고 싶다. 본능적 권력의 종언은 한국의 권력의 질이 감성적 권력의 단계에 들어섰음을 말해준다. 형식적으로 민주주의가 피할 수 없는 제도가 되었다. 선거를 통하지 않고, 재판을 통하지 않고 법이 만들어지지도, 집행되지도 않는다. 물론 그 내용에 있어서는 낮은 질을 보이는 경우가 허다하지만 형식적 절차에서 무시할 수 있는 본능적 권력은 더 이상 존재할 수가 없다. 권력의 획득을 위해서 각 진영은 이전보다 더 복잡하고 세련되고 때로는 표리부동한 모습을 보이지 않을 수 없게 된다. 3류 우익과 수구세력들도 민주화를 받아들이지 않을 수 없었을 것이다. 그들의 민주주의는 오로지 북한으로부터 자유 대한을 지키는 것, 이것이 그들의 신념의 전부인 것처럼 말하지만 속내는 복잡하다. 그들은 민주주의가 거추장스럽고 빨갱이를 색출하고 자백하게 하는데 걸림돌이라 생각하고 있음을 서슴없이 말하고 있다. 그들은 '인권이 간첩 잡는 일을 방해한다.'라고 말한다. 이는 고문과 미행의 추억을 말하는 것과 다르지 않은 말이다. 그렇지만 그들도 역사의 대세는 거스를 수가 없다는 것을 받아들이기 싫지만 받아들여야 함을 알고 있다. 그들이 지난 민주화운동 시기 정확히 말하면 1980~2000년대 초까지 20여 년 민주화라는 대세 앞에 수세적이고 옹색한 논리를 벗어날 수가 없었다. 본능적 권력, 부도덕한 권력에 빌붙어 그들의 종기를 빨며 생계를 유지한 그들로서 민주화 투사는 하찮은 존재 그 이상도 이하도 아니었다. 그들은 민주화 운동가들은 유서도 대필할 수 있는 인격의 소유자들이라고 믿고 있을 정도다. 급기야 김대중으로 50년만에 권력을 내어주고 그들 스스로의 본능적 권력의 종지부를 찍고 10년간 진보진영에게 온갖 모멸(?)을 당하면서 심각한 자기반성을 하게 된다. 3류 우익들의 반성은 근본적인 노선이나 과거에 대한 반성이 아니라 그동안 본능적인 권력에 익숙해진 나머지 감성적 대중에 대한 적극적 대응이 부족했다는 반성이었다. 인터넷 등 변화된 매체를 적극 활용하고 상대적으로 제도권에 진출한 민주화 운동 세력이 전투적인 보수 세력에 대한 공격이 뜸해지자 민주화 운동 세력들의 과거 전력을 마치 현재진행형인 것처럼 호도하며 종북타령을 하고 이는 선거 때마다 혹은 국가보안법 폐기 등 쟁점 법안이 충돌할 때마다 심지어는 광우병 논란등 정치 현안이 있을 때마다 이들은 소수의 전투부대들을 동원하고 이를 흑색언론이 보도하고 조중동이 확산하는 나름대로 일사분란한 전투체제를 갖추게 되었다.

김대중, 노무현 정권 10년을 '잃어버린 10년'으로 규정하고 그들이 그 토록이나 신봉하는 자유민주주의가 위기에 처하게 되었다고 아우성치면서 한국 정치를 다시금 이념적으로 회귀하게 만들었다. 그렇다고 본능적 권력을 휘두를 수는 없지만 그들은 언제든 고문과 미행을 하고 싶은 마음 간절한 언사를 서슴지 않는다. 민주화운동 기간에 주눅 들었던 3류 우익들의 극단적 이기주의는 더 이상 정치적 비전을 제시할 수 없는 보수진영에게는 불가근불가원이지만 고마운 존재가 아닐 수 없다. 10년의 와신상담 끝에 이명박을 앞세워 권력을 다시 찾아온 보수진영은 3류 우익들에게 발목이 잡히게 되어버렸다. 대표적인 사례가 대북 풍선 날리기였다. 이명박이 당선되자마자

축하 애드벌룬이라도 띄우듯 3류 우익들은 대북전단을 날리기 시작했다. 이명박 정권도 이를 제지할 수가 없었다. 북한과의 감정은 점점 악화되고 급기야는 풍선 날리는 지점을 타격하겠다고 으름장을 놓는 북한에 대하여 이러지도 저러지도 못하는 상황이 되었다. 그러나 3류 우익들은 그들의 신념을 굽히지 않고 풍선을 날려 보냈다. 급기야 연평도 포격사건이 나고 남북관계는 최악의 상황으로 치닫는다. 이제야 이명박 정권은 대북 풍선 날리기를 제지하게 된다. 3류 우익들의 극단적 행위는 사실 공멸을 바라는 것도 아니고 그렇다고 그렇게 해서 북을 괴멸시키는 것도 아닌데 그저 자신들의 존재를 부각시키고 남과 북을 극단적 긴장으로 몰고 가기 위함일 뿐이다. 그들은 모든 대화를 거부하고 오직 북한의 붕괴를 위한 전략 전술이 필요하다는 것이다. 이에 이명박 정권은 처음에는 동조하고 용인하였지만 3류 우익들 때문에 불필요한 긴장이 격화되는 것을 바라지 않았다. 3류 우익들은 결국 한국의 '종북세력'으로 공격 방향을 돌릴 수 밖에 없었다. '종북 백과사전'이라는 웃기지도 않는 명단을 만들어 놓고 두고두고 써먹을 모양이다. 이는 친일인명사전에 영 심기가 불편한 자들의 아이디어가 아닐까 싶다. 아마 '독재권력 야합 인명사전'을 만들어 보는 것은 어떨까 싶기도 하다. 아무튼 한국의 정치권력은 감성적 대중을 어떻게 자신들에게 기표하게 하느냐 하는 경쟁의 최고점을 향하여 줄

달음 치고 있다. 여기에 가장 좋은 소재가 바로 절대악 북한을 두고 흑백게임을 하는 것이다. 그 다음이 지역감정이요, 세대갈등이다. 지역감정이든 세대갈등이든 그 저간에는 북한을 대하는 감정이 전제되어 있다. 다시 말하면 호남은 왠지 친북일거라는 기괴한 믿음, 젊은 세대는 왠지 철없이 친북일거라는 노파심 이런 감성들이 오랫동안 부지불식간에 학습되어 왔기에 언제든 방아쇠 인자만 있으면 순식간에 흥분하는 대중을 보수집단들은 치밀한 노력을 기울여 사로잡으려 할 것이다. 이에 비하면 진보진영, 민주당 등의 야권은 지나치게 이성적이다. 그들은 이성적인 판단을 선호하는 대중이 감성적 행동을 하는 대중에 비해 턱없이 모자란다는 것을 알아야 할 것이다. 지방선거에서의 일부 승리한 것으로 대중의 이성적 판단을 맹신한다면 오산이다.

방송 장악

보수진영이 잃어버린(?) 10년을 어떻게 반성했을까? 노무현을 탄핵하고 정권을 자신들의 권력으로 찬탈할 것이라 믿었던 그 감성으로 그들은 2004년 17대 총선의 참패를 맛보았다. 그 원인은 노무현 탄핵에 대해 국민들이 무조건 반기를 든 것이 아니다. 당시 TV를 누가 장악하고 있었는가? 이것이 2004년 총선의 핵심 keyword인 것이다. 당시 한나라당은 압도적 여소야대의 수적 우위를 맹신하고 자신들의 조급함을 말도 안 되는 대통령 탄핵 의결로 드러내고야 말았다. 국회 본회의장은 아수라장이 되고 국민들은 비이성적인 한나라당에 분개하기 시작했다. 이에 연일 모든 TV방송은 한나라당의 탄핵 가결 모습을 반복해서 보여주었다. 경상도를 제외하고는 농촌의 촌로에 이르기까지 한나라당 심판을 결심하게 하기에 충분했다. '그래도 대통령인데 저건 아니지.'하는 게 그들의 심정이었다. 탄핵 역풍이 너무 강해 북한에 대한 감정이나 여타의 것들이 개입할 여지가 많지 않았다. 그렇게 시작된 17대 총선 총선 말미의 정동영의 노인 발언으로 일부 이탈은 있었으나 총선 사상 민주당의 전신 열린우리당이 자력으로 과반수를 넘는 최초의 결과를 낳게 되었다. TV를 장악한 여권(당시 노무현 정부는 객관적인 방송이라고 하지만)의 끊임없는 탄핵 가결 장면 방영은 감성적 유권자들을 충분히 자극하고도 남았다. 이 때 한나라당은 방송장악의 절실함을 새삼 느꼈을지도 모르겠다. 이명박 정권은 온갖 무리수를 써서라도 방통위와 KBS, MBC를 완전 장악하고 종편마저 새로 만들어 일방적 방송을 감행하게 되는데 그 결과 모든 선거에서 일부 비판 여론에도 불구하고 늘 한나라당은 승리하게 된다. '감성을 장악하라!' 이는 마케팅 분야에서 대중의 소비욕구를 만족시키는 기법으로 아주 중요한 측면이다. TV

광고는 사실 제품의 사양이나 효능 등을 설명하는데 시간을 허비할 만큼 한가하지가 않다. 최고의 인기인과 더불어 상품의 특징을 극대화 혹은 과장하는 데 모든 것을 할애한다. 월드컵 축구 중계를 위한 광고시간에 박지성이 시원한 맥주를 들이키는 것이면 맥주광고는 더 이상의 효과가 없을 것이다.

방송 장악의 역사는 정치권력의 역사와 일치할 수 밖에 없다. 어린 시절 유신 헌법의 정당성을 라디오를 틀면 종일 전문가라는 사람들이 나와서 국민들을 설득(?)했다. 유신 헌법은 북한의 무력도발을 막아주는 평화 헌법이고 강력한 리더십으로 경제 발전을 이룩하는 민주주의라는 것이다. 유신 헌법이 국민투표 결과 90% 이상의 찬성을 얻었다. 아무리 그래도 박정희 정권이라도 총칼을 들이대고 투표장으로 국민들을 끌고 가지는 않았다. 바로 방송에서 오로지 유신 헌법의 정당함을 부르짖었기 때문이다.

전두환 정권이 그들의 범죄적 권력을 창출하면서 광주 항쟁을 보도하던 기억은 지금도 분노가 치민다. 시민군의 돌에 맞아 이마에 피를 흘리는 계엄군을 동료 병사가 부추기는 장면이 계속 반복되어 나온다. '폭도', 당시 광주시민은 '폭도'라고 진심으로 생각한 사람이 훨씬 더 많았을 것이다. 나도 그렇게 생각했었으니 말이다. 그렇게 권력을 잡은 전두환은 '땡전 뉴스'로 유명했다. 당시 3류 우익들은 '단군 이래 최고의 성군'이라고 전두환을 칭송하였다. 그 사람들에 대해 지금도 그 생각에 변함이 없느냐고 왜 질문을 하지 않는지 모르겠다. 내가 의정 단상에서 공개적으로 하려고 하니까 그들은 그것을 알고 나에게 먼저 종북이 아니란 걸 고백하라고 한다. 지금이라도 누군가 3류 우익들에게 '당신은 아직도 전두환이 단군 이래 최고의 성군인가?'라고 물어주길 간절히 바란다.

방송장악 그것도 공중파 TV를 장악하는 것은 권력을 장악하는 것과 동의어 수준이다. 그만큼 영향력이 막대하다는 뜻이다. 미국에서는 TV토론이 대통령 선거의 중요한 장이 되었는데 한국에서는 TV토론회는 그리 큰 영향력이 없다. 왜냐하면 이미 입장은 고정되어 있기 때문이다. 한국의 TV는 자신들의 정책을 잘 홍보하고 정적이나 경쟁자들의 약점을 지속적으로 부각시키는데 더 열을 올리고 있다. TV처럼 사람의 감성을 자극하는데 효과적인 매체는 없다. '야망의 세월'이라는 드라마의 주인공을 맡았던 유인촌이 그 드라마의 실제 주인공이 서울시장을 거쳐 대통령이 되었을 때 문화부장관이 된 것은 결코 우연한 일만은 아닐 것이다. 땡전뉴스처럼 본능적 정권의 노골적 방송 장악이 오히려 대중의 조롱거리가 되자 이제는 교묘하고 치밀하게 대중의 정서를 조작하는 콘텐츠를 다양하게 창조해낸다.

미래한국, 뉴데일리 등 황색 저널리즘은 전위부대를 자처하면서 막무가내 기사를 쓰고 조중동은 이미 의식화된 보수층의 단결을 강화하는 데 그 역할이 사뭇 크다. 그것이 옳든 그르든 말이다. 그러나 방송은 이들과 차원이 다르다. 신문이 이념적이고 이성적이라면 TV는 다분히 감성적이다. 19대 총선이 있기 몇 달 전만 해도 야당의 압승을 기대하고 예상하는 것이 대체적 분위기였다. 그러나 선거전이 가까워 오면서 TV의 종북 논쟁, 김용민 등 감성적인 이념·세대·지역 갈등을 효과적으로 부추기면서 일순간에 농촌지역은 이름표를 갈아 단 새누리당에게 압승을 안겨주었다. 이에 농촌의 노년층이 보수적이라기보다는 감성적이라고 말하는 것이 정확한 표현일 것이다. 그들은 17대 총선에서는 똑같이 열린우리당의 압승을 만들어낸 동일인들이기 때문이다. 결국 한국의 유권자 대중들은 감성적이다. 책머리에서도 말했듯이 현재 유권자 대중의 '우점종'은 감성적이다. 이를 정확히 간파한 박근혜 후보의 선거 전략은 이러한 학습으로 공유된 감성에 호소하는 일관성을 보일 것이다. 이제 감성의 본질에 대해 잠깐 살펴보기로 하자

한국 기독교의 감성주의

감성은 본능적 감각을 기초로 하지만 즉물적이지 않고 이성적 의식을 모티브로 하지만 논리적이지 않은 마음 즉 心의 영역이다.

감성을 언어로 표현한 대표적인 장르가 詩다.

여기서 문재인 후보 캠프의 모토가 된 시 한 수를 예로 들어 보자. 정치에 사용되어 좀 퇴색된 느낌이 들지만 아름다운 시임에는 틀림없다.

저것은 벽
어쩔 수 없는 벽이라고 우리가 느낄 때
그 때
담쟁이는 말없이 그 벽을 오른다.

물 한 방울 없고 씨앗 한 톨 살아 남을 수 없는
저것은 절망의 벽이라고 말할 때
담쟁이는 서두르지 않고 앞으로 나아간다.

한 뼘이라도 꼭 여럿이 함께 손을 잡고 올라간다
푸르게 절망을 다 덮을 때까지
바로 그 절망을 잡고 놓지 않는다.

저것은 넘을 수 없는 벽이라고 고개를 떨구고 있을 때
담쟁이 잎 하나는 담쟁이 잎 수천개를 이끌고
결국 그 벽을 넘는다.

- 도종환의 「담쟁이」 -

시인의 눈은 수직 담벼락에 올라가는 담쟁이의 무성함을 보고 고난과 절망 앞에 서있는 시인의 마음 자세를 대입시켜 보았다. 시인의 본능적 감각에 투사된 담쟁이는 고난과 절망을 이겨내려는 날카로운 이성의 뒷받침으로 본능도 이성도 아닌 감성, 나아가서는 영성의 단면을 알게 한다. 이것이 시요, 예술이다.

감성은 그런 것이다. 단지 느낌의 세계라고 정의하는 것은 동어 반복에 지나지 않기에 본능과 이성의 합작품으로의 감성 그리고 그 끝에 매달려 있는 영성까지 엿 볼 수 있는 시이기에 적어보았다. 감성은 그런 것이다.

이제 한국 기독교의 어제와 오늘을 일별해 보자. 한국 기독교가 짧은 역사에도 불구하고 현대 한국 종교의 우점종이 된 기적을 어떻게 해석해야 할까? 우리의 신앙심 깊은 기독교인들은 그것을 하나님의 역사하심 이외의 평가를 하면 곧바로 불경함으로 나아가서는 색깔이 이상한 사람이 되기 십상이다. 세계에서 가장 큰 교회가 한국에 있으며 한국교회는 이미 속세의 권력과도 밀접한 동거를 하고 있으며 분단된 한국의 튼튼한 이념적 기지 역할도 충실히 하고 있다.

조선 땅에 처음으로 성경이 들어온 것은 200여 년 전의 일이다. 성리학이 그 전성기를 지나 퇴폐적으로 흐를 때 서학이라는 별명으로 기독교는 이 땅에 첫 선을 보인다. 남인 출신의 정약전은 성리학을 달통하고 그 시대성의 한계를 고심하다가 성경을 만난다. 당시로는 '국가보안법'에 해당하는 성리학의 질서를 정면으로 위배하고 천주당이라는 지하당(?)에 발을 들여 놓았다. 그는 흑산도에서 평생 징역살이를 하면서 소일 삼아 물고기들의 '주민등록'을 만든다. 그의 실사구시 사상의 발로가 아닐까? 실사구시적이고 백성과 함께 호흡하길 좋아하고 선지자적인 약전에 비하면 약용은 심약한 선비요 서생이라는 느낌을 지울 수 없다. 18년의 징역살이가 다산을 시대의 선구자로 우뚝 서게 했지만 그 근본으로 말할 것 같으면 형 약전의 에너지와 영성이 더 파도가 크고 산이 높아 보인다.

그렇게 초기부터 기독교는 성리학이라는 지배사상의 눈에는 불순한 무리들이었다. 지금까지도 성리학의 완고함은 기독교와 친하지 못하다. 오히려 기독교는 성리학의 동심원 밖에 있었던 상민과 부녀자들의 기복신앙으로 그 저변을 확대하고 소위 민족 종교들의 참고서 역할을 수행하였다. 이것이 중국으로부터의 기독교 즉 천주교의 시작이라면 개신교는 미국의 제국주의 정책과 선교가 쌍을 이루며 세력을 확장하면서 전파되기 시작했다. 조선인의 계몽에 기독교가 적극 개입하게 된 것이다. 개신교의 계몽주의는 정약전의 치열함에 비하면 지극히 감성적이고 실리적이었다. 기독교는 한국에 뿌리내리기 위해 다양한 경험을 하며 1세기를 보냈다. 20세기의 기독교는 파죽지

세다. 이미 성리학은 새시대를 보여주기에는 그 힘을 다했다는 공인을 대중들로부터 받았고 성리학의 사대부들도 이미 내면은 전향하여 절치부심 중에 기독교는 서양 문물을 담은 바구니가 되어 한국에 들어왔다. 게르만의 경우 유럽정복과 함께 잽싸게 기독교를 국교화 했는데 이는 게르만의 무속화된 범심론으로는 중세를 지배할 수 없었기 때문이었다. 기독교를 국교화한 게르만은 그들의 무당을 마녀로 둔갑시켰다. 중세의 마녀사냥은 가장 강력한 기독교 전파방식이었다. 민중들에게 기독교의 교리는 골치 아픈 수사였을지도 모른다. 다만 그들이 믿던 무속은 이제 새로운 신앙의 적이 되는 것으로 충분한 가치를 갖게 되었다. 한국의 초기 기독교사를 보면 당시 한국 민중의 생활 속에 술과 노름과 굿이 기독교 계몽의 3대 타깃이었음을 알 수 있다. 그 전통은 지금도 술·담배를 철저히 금기시 하는 한국 기독교만의 율법을 남기게 되었다.

민간에 광범위하게 뿌리박힌 무속(유동식 교수는 이를 무교로 격상시키고 있다)은 한국인의 전통적 기본신앙이다. 그 무속은 불교가 우점종이었던 삼국시대와 고려시대에도 엄연히 살아있었다. 불교가 무속과 타협하며 이 땅 민중들을 불교도로 개종시켰다. 지금도 사찰에 가면 '삼신각', '칠성각' 등 무속에 염원을 둔 기도처가 그 타협의 산물로 남아있다. 꼬장꼬장한 성리학도 유교 제사와 무속이 뒤엉키고 성리학의 대가집 마나

님도 지아비의 출세를 위해 무당을 찾아가는 조선의 모습을 우리는 일상으로 접할 수 있다.

한국인의 무속은 지금까지 어느 종교와도 타협하며 이어져 내려오고 있다. 굿판이 사라진 것으로 무속 신앙이 사라졌다고 보면 오산이다. 유동식 교수는 무속이 한국인에게 그 생명력과 영향력이 지대하다는 점을 들어 '무교'로 표현하면서까지 무속의 의미를 격상시켰다. 사실 샤머니즘의 특성은 인간의 한계로 빚어지는 절박한 심정이 그 기초다. 그것은 기복과 타부(taboo)로 이루어져 있다. 기복과 타부는 동전의 양면이다. 다시 유동식 교수의 표현을 빌면 무속이야말로 '한국인의 영성'이라고 했다. 이웃 중국과 일본이 같은 한자 문화권을 이루고 있지만 한국의 무속과는 차이가 각각 크다. 중국의 춘절에는 온통 '福' 타령이다. 일본은 아직도 범신론 국가다. 야스쿠니가 살아있음을 우리는 생생히 보고 있다. 한·중·일 3국 중 왜 유독 한국에서만이 기독교가 우점종이 되었을까? 만약 장개석이 중국을 통일했다면 한국처럼 중국이 최대 신도를 보유한 기독교국이 되었을까? 대만이 아닌 것으로 봐서 중국도 아닐 가능성이 크다. 일본은 서양문물을 우리보다 더 적극적으로 수용했음에도 기독교는 인구의 1%도 안 된다고 한다. 그러나 북한만큼은 그들의 체제가 기독교를 철저히 폐기했다고 본다. 공산주의가 중국의 기독교화를 막았다고 단언할 수 없음은 일본을 보면서 든 생각이다. 중국, 북한, 한국, 일본의 기독교와의 관계를 들여다보면 민족의 차이를 극명히 알 수 있을지도 모른다. 중국은 동양적 기복신앙이 뿌리 깊지만 언제나 실용적이었다. 신앙적이지 않았다. 즉 내세적이지 않았다. 그것이 중국 한족의 영성이고 정신세계의 단면이다. 일본 또한 크게 다르지 않다. 범신론으로 신사에 절하고 모든 것을 숭배하지만 철저히 현세적이고 타산적이다. 그러나 한반도의 우리는 다르다. 다분히 무속이라 하더라도 현세적이지만은 않았다. 내세적이고 윤리적이고 현실의 권선징악까지도 철저히 간섭하는 운명적인 것이었다. 그래서 한국의 무속은 taboo가 무섭다. 지키지 않으면 재앙이 온다. 이것이 힘이 되었다. 지배의 권력이 되기도 했다. 한국인의 강력한 영성은 중국과 일본과의 역사적 관계 속에서 더 적극적이 되었을 것이다. 지리학적으로 수많은 전쟁과 자신들의 의지와는 무관한 삶의 불가측성과 불가해성이 민족들을 더 강렬한 비이성의 세계로 안내했을 것이다. 남과 북이 겉으로는 굉장히 다른 듯 하지만 사실 놀랍게도 똑같은 정신적 수준을 보여주고 있다. 북한은 우리 민족의 강렬한 영성을 주체사상 내지는 수령론 그것도 아니면 국가주의, 전체주의로 열광하고 있다. 지도자 한 사람 때문에 열광하며 진심어린 눈물을 흘리는 것을 보면 그들의 변형된 신앙이 아닐 수 없다. 그 집단적 영성을 어딘가에 쏟아 부어야 한다면 그런 방식으로 열광하는 것이 아닐까 싶다. 한편 남한은 그와는 전혀 달라 보이지만 비이성적이 열광이 있다. 그것이 기독교가 되었든 반공적 열정이든 그렇게 남과 북은 감성적 열광이 현실이다.

한국교회의 성장의 조건은 무속적 기복신앙의 감성적 열정과 경제성장으로 인한 도시 밀집형 주거구조를 바탕으로 이념적으로 반공 보수를 통한 정치세력화를 통해 구조화 되어지는 세 가지가 있다.

한국 교회의 그 감성적 분위기는 한국사회의 독특한 사회 분위기를 만드는 역할을 했다. 그러나 한국교회의 양적 팽창에 걸맞은 영적 승화는 미약하거나 세속화로 인한 반대급부에 몸살을 앓고 있다. 한국 교회의 신도들이 믿고 있는 영성의 대부분은 감성이고 그 감성을 노련하게 다루는 종교지도자들이 성공한 목회자가 될 개연성이 큰 것이다. 물론 동의하기는 어렵겠지만 지도자들의 깊은 영성과 신도들의 영성과의 교감은 지극히 미약하다. 한국 교회가 작금에 이르러서 사회적 지탄의 대상이 되는 것은 그들이 열광하고 있는 영성이 이성적인 사람들이 보기에도 감성에 지나지 않다고 느끼기 때문이다. 즉 그들의 진지한 열광이 영적 깨달음이 아니라 감성적 흥분이라는 것이다. 한국의 대다수의 신도들은 자신들의 감성을 영성이라고 착각하거나 아니면 영적 체험 자체를 해본 적이 없는 경우가 허다하다. 그래서 오도된 대형교회의 집단적인 행동들이 이성적인(여기서는 법, 상식을 포함) 사람들의 눈살을 찌푸리게 하는 것이다. 교회가 자신들의 갈등을 세상의 법의 판단에 의존하는 예는 이제 일상이 되었다. 감성적 신도들의 사회성은 보통 보수적이고 현실 안주적이다. 과연 그 속에 기독교 영성의 상징인 십자가는 어디에 자리할 수 있을까?

한국교회의 정체와 위기는 이제 이 지점을 어떻게 통과하느냐에 달려있다. 감성의 기독교가 어떻게 이성적이며 나아가 영성의 추구를 위해 변화할 수 있을까? 깊은 고민이 아닐 수 없다. 루터나 캘빈이 봉건사회의 끝자락에서 자본주의 새 시대를 이끌며 구원할 수 없는 기독교를 바라보는 그 심정이 이즈음의 진정한 신학자들의 마음일지도 모를 일이다. 아무튼 한국의 기독교는 수많은 긍정적 역할과 놀라운 성장의 시간 이후의 정체감을 어떻게 풀어갈 수 있을까? 서구의 기독교가 걸었던 길을 답습할 것인가? 아니면 새로운 길을 갈 수 있을 것인가? 그것은 한국의 기독교인들에게 달려있다. 한국 기독교의 어제와 오늘 그리고 내일은 따로 생각하거나 나보다 더 많은 고민을 한 사람들에게 맡기고 싶다. 다만 이 글에서는 한국의 기독교인들이 믿고 있는 '영성'이 미안하지만 사실은 감성이라는 것을 예로 들고 싶었을 뿐이다. 특히 나 자신도 기독교 보수 교단의 장로로서 맹목적 비난이나 폄하의 의도는 전혀 없다. 오히려 한국 기독교가 좀 더 냉철하고 그 치열한 이성의 끝에 매달려

있는 영성을 찾기 바라고 진정한 기독교의 정신으로 세계 속에서 가장 아름다운 교회의 역사와 신도들을 가진 나라가 되길 간절히 바라는 마음이 전부다. 감성의 본질을 설명하기 위해서 기독교의 현재의 모습을 거칠게나마 살펴보았다.

사실 사람이 어떤 이유에서든 1만 여명이 모인다면, 그것도 규칙적으로 모인다면 그 자체로 권력이 되지 않을 수 없다. 예수가 남자만 5천명이 모이게 할 정도였기에 당시의 권력자들은 두려워했던 것이다. 물론 교회에서는 영적권능이라고 말하여지겠지만 말이다. 감성적 대중이 생산한 권력 또한 본능적 대중이 만들어 낸 권력과 마찬가지로 철저히 이성적인 지배 세력에 의해 통제되고 조장되고 유지된다는 것이다.

선거 때만 되면 나오는 말이 있다. 그 중 하나는 이번에는 정책 선거, 비전 선거가 되도록 하자. 그러나 선거전이 무르익을수록 선거는 감성적 쟁투가 된다. 상대방의 치명적 약점 그것도 위선적 대중들에게 조롱거리가 되기에 충분한 것들을 찾고 떠들기에 혈안이 된다. 안철수가 룸살롱에 갔느냐? 아니냐? 이 얼마나 위선적이 논쟁인가? 이런 것이 선거다.

또 하나는 당보다 인물을 보고 찍자고 한다. 얼핏 맞는 말처럼 들릴 때도 있다. 정치도 사람이 하는 것이기 때문에. 하지만 인물은 이미 정당정치가 기본인 민주주의에서 부차적일 수 밖에 없다. 어떤 인물이든 소속 정당의 이념, 정강정책에 동의하기 때문에 그 일원이 되는 것 아닌가? 물론 무소속 후보가 훨씬 나은 경우도 있기는 하겠지만 한국에서만이 아니라 세계 어느 나라에서도 무소속 후보의 당선은 매우 소수에 국한되는게 현실이다. 인물을 보고 찍자는 말은 자신이 속한 당이 대중으로부터 인기가 없을 때 상투적으로 하는 말일 뿐이다. 이 또한 지극히 감성적 호소의 하나다.

감성적 권력을 만드는 감성적 대중의 정서는 적대적이 된다는데 그 아픔이 있다. 지금도 나는 박근혜 후보가 어디어디가 좋아서 지지한다기보다는 문재인이 싫어서, 안철수가 싫어서 아니면 박근혜가 싫어서가 후보를 선택하는 이유라고 말하는 사람이 더 많은 것 같다. 한국의 정치세력은 경향적으로 양분되어 있다. 한쪽은 자칭 보수라고 하며 영남을 주 기반으로 하며 남북문제나 이념적으로는 극우적인 세력이다. 한쪽은 리버럴하지만 상대적일 뿐 보수적인 세력이다. 남북문제나 이념적으로는 이상주의적인 면이 있으나 치밀하진 못하다. 이 두 세력은 서로 적대적이리만큼 다르다는 것을 강조한다. 그것은 역사성 속에 기인한다. 한쪽은 다른 한쪽을 친일 독재자의 후예이며 부도덕한 치부를 가진 자들이라고 믿고 있다. 그리고 그들은 가진 자들이기 때문에 기득권 체제를 유지하려고 늘 부패와 강압을 사용할 수 밖에 없다고 믿고 있다. 이에 반해 리버럴들에게는 일단 사상이 불온한 자들이 그 세력을 이끌고 있고 늘 정당한 성취를 폄하하고 노력의 대가를 빼앗으려고 하는 위험한 사람들이라고 믿고 있다. 그리고 그들의 일부 아니 생각보다 많은 수가 북한과 내통하거나 자발적으로 한 편이라고 믿고 있다. 여기서 만들어지는 감정은 거의 적대감에 가깝다. 이런 사회 분위기 속에서 만들어지는 권력 쟁투는 보통 사람들은 무서우리만큼 감당하기 어려운 싸움으로 변질된다. 그래서 정치는 보통사람들이 하는 것이 아니라고 하는지도 모른다. 한국의 국회를 중심으로 하는 모든 싸움, 이미 진영이 확고해진 언론들의 거친 표현, 뿐만 아니라 민생의 현장이나 저자거리에서도 그 세련(?)됨은 떨어지지만 크고 작은 갈등들이 이런 내용들로 이루어지고 있다.

뉴데일리라는 한 흑색매체의 논조들을 보면 너무나도 감성적이고 자극적이다. 그러나 그 글을 쓰는 사람들은 사실 보통 냉철한 이성을 가지고 있는 사람들이 아니다. 단지 그 이성이 어떤 목적 내지는 이해를 가지느냐가 중요한 모티브일 뿐 그런 감성적 언어들을 만들고 유포하기 위해서는 그는 놀라운 이성을 소유해야 한다. 물론 소위 좌파언론도 예외는 아니다. 이성적인 지배자들은 대중의 수준에 맞게 때로는 본능에 때로는 감성에 이를 적절히 조화롭게(?) 하면서 자신들의 목적을 달성하고자 한다. 물론 그렇다고 늘 그들의 의도대로 대중이 움직여지지는 않지만 그들은 그 노력을 결코 게을리 하지 않는다. 한국의 유권자들은 비교적 많은 정보를 가지고 있고 자신의 이해와 결부되어 있는 사항에 대해서는 참으로 이성적이다. 이를 바탕으로 두 진영 중에 한쪽으로 자신들의 입장을 정하는 경우가 대부분이다. 그러나 자신들이 생산하고 소비해야 할 정치권력을 만들 때에는 그 이성적 능력이 갑자기 약해지면서 감성적 선정에 쉽게 동화된다. 이는 세상의 성공과 이익을 위해 열심히 살면서 교회만 가면 또 다른 세계에 심취하는 이중성과 흡사하다.

그러나 한국의 유권자 대중도 이제 감성적 권력이 주는 한계와 폐해를 절실히 느끼기 시작했다. 본능의 권력을 87년 6월 항쟁으로 감성의 권력으로 바꾼 한국의 대중들은 이제 자신들의 이성으로 자신들이 소비할 권력을 생산하고자 몸부림 치고 있다.

제 3 부

이성의 권력

이성이란 무엇인가? 이성이라는 사유를 구성하는 것은, 즉 이성의 재료는 지식이다. 이성은 인간의 특징이다. 이성은 사회 속에서만 그 가치가 있다. 그러므로 이성은 사람 중심이다. 일정한 시공간을 공유하는 사람들의 집단 이성을 우리는 상식이라고 부른다. 이성은 가치를 정하며 선과 악을 만든다. 법, 제도, 윤리 등도 모두 이성의 산물이며 인간에게 있어 가장 오래된 이성의 산물은 시장(市場)이다. 한국의 3류 우익들이 시장 경제가 마치 자신들이 고결하게 지키는 무슨 이상향이나 되듯이 너스레를 떠는 것은 그런 면에서 우스꽝스럽기 그지없다.

시장에 대하여

3류 우익들이 그토록 자신들의 이상향으로 불가침의 영역인양 떠들어 대는 시장은 사실 인류의 역사와 그 길이가 같다. 많은 사람들 중에 시장이 마치 자본주의 시대의 특징인양 오해하는 경우도 적지 않다. 시장은 그 규모와 모양은 다르지만 고대부터 교환으로 인한 가치의 증대라는 기본적 속성은 변함없이 지금까지 존재해 왔다. 사회주의에서도 시장은 존재하지 않은 적이 없고 지금도 사회주의를 표방하는 나라도 각양의 시장이 활발한 거래를 자기 역할로 하고 있다. 시장이야 말로 인간이 만든 이성적 시스템의 가장 오래된 형태이며 살아있는 생명체와 같다.

중국의 과일 장사와 한국의 과일 장사는 가격을 매기는 방법에서 완전히 다르다. 난전이나 보통의 과일가게에 가서 사과를 사면 한국은 보통 2개 천원 혹은 3개 천원이라고 주인이 가격을 말한다. 물론 2개에 천원이나 3개에 천원이라는 가격 결정은 크게는 시장의 수요 공급에 영향을 받지만 순전히 주인의 마음이다. 그러나 중국의 과일 장사는 반드시 꽁진(公斤)에 얼마라고 말한다. 꼭 1kg에 얼마라고 말하며 모든 가게 주인은 저울을 가지고 있다. 물론 중국도 '이꽁진에 얼마'라는 가격은 시장의 영향을 받지만 온전히 주인 마음이다. 한국과 중국 중 어느 나라가 더 정확한 아니 객관적인 가격 기준일까? 1kg에 천원, 2개의 천원이 같은 가격일까? 1kg에 2개 일수도 있고 3개 일수도 있다. 얼핏 보아도 '1kg에 얼마'가 객관적으로 보이고 digital하다. 그러나 한국의 과일가게에는 저울이 그리 많지 않다. 그냥 몇 개에 얼마다. 그럼에도 과일시장은 여전히 잘 운영되고 있다. 중국의 상인들은 정말 저울을 상행위의 필수품으로 여긴다. 이것은 아주 오래된 중국의 시장 전통이다.

시장은 시스템이다. 시장은 사회의 축소판이다. 그곳의 規矩(규구)는 저울이었다. 화폐 이전에 저울이었다.

중국인들은 무엇이든지 저울에 단다. 지금도 시골 장터에는 막대 저울을 들고 있는 상인을 흔히 볼 수 있다. 저울은 화폐와 함께 교환의 두 축이 되었다. 지금은 바코드가 이를 대신하는 것 같지만 알고 보면 바코드의 기준도 저울일 수 밖에 없다. 인간은 그 시원부터 시장을 만들었고 시장의 모습이 곧 그 사회의 모습이었다. 이런 저울이야 말로 이성적 사고의 산물이 아닐 수 없다. 저울이야 말로 이성적 도구요 화폐야 말로 가치를 보전하는 이성의 최고 산물이 되었다. 시장에는 물론 본능적 욕구, 감성적 분위기 때로는 영성마저 느낄 수 있을 만큼 오묘막측하지만 그래도 시장의 우점종은 이성이다. 시장이 유지되기 위한 온갖 장치들을 사람들은 만들어왔다. 자유시장경제를 표방하는 우리도 공정거래위원회라는 장관급의 부서를 두고 있다. 또 시장이 더 많은 가치를 창출할 수 있도록 노력해왔다. 현재 자본주의 확장으로 인해 모든 가치는 시장으로 향하는 시대가 되었다. 이 시장은 곧 공동체의 지속가능함, 영속성을 가능케 해주고 그것이 곧 인류사가 되었던 것이다. 모든 가치가 시장에서 교환된다는 것 이는 고도의 이성 사회가 된다는 말의 동어반복이다.

시장의 지속 가능한 관리 즉 시장의 영속성(공동체의 연속성)을 위해 인류는 시장관리인을 뽑아왔다. 그것이 정치였고 권력이었다. 權力의 權자도 저울 추를 의미 한다. 그만큼 권력은 '공정하게 판단하여야 한다.'는 의미가 있을 것이다. 이제

민주주의가 보편화된 나라에서는 정치권력 또한 상품을 생산하고 판매하는 것과 같이 일종의 정치시장화 되어버린 지 오래다. 정치 마케팅, 선거 마케팅 등등의 용어들은 이미 오래전에 일상화 되었다. 정치인이 선거를 통해 권력을 획득하는 과정을 보라. 기업인이 제품을 생산하여 판매하는 것과 무엇이 다른가? 시장의 영속성을 위해 만들어진 저울 즉 법, 제도, 각종 시스템들의 관리 운영 내지는 지배를 위해 권력을 만들지 않을 수 없었다. 이제는 그 권력마저도 상품이 되었다. 대중들은 그 권력을 생산하고 소비하는 주체가 되었다. 다만 그 질에 있어서는 다양하고 수준이 다르지만 말이다. 한때 고도의 이성적 이데올로기들이 시장의 완전한 통제를 꿈꾸었던 적이 있었다. 생산과 분배를 완전한 이성이 지배할 수 있다고 믿었지만 풍요로움을 잃어버리고 스스로의 한계를 인정하고 이제는 퇴조해버렸다. 그만큼 시장이 이성적 산물이지만 그 안에는 본능적, 감성적, 영적 요인 등이 있다는 것을 간과해서는 안된다는 교훈을 인류는 그들의 열정적 시행착오를 통해 의미 있는 학습을 하였다. 그들의 권력은 시장에서 생산되지 않았기 때문에 결코 시장을 지배할 수 없었다고 보는 것이 가장 정확한 표현일 것이다.

창검으로 싸워 이긴 본능의 권력, 신분제도나 고문, 감금 등의 물리적이고 강압적인 지배도구는 놓았지만 아직도 덜 이성적인 대중들이 만들어내는 감성의 권력을 넘어 이제 인간이 만든 가장 이성적 시스템인 시장에서 만들어지는 이성적 권력의 생산이 최소한 감성적 권력이 아직도 권력의 성격인 한국에서 지향해야할 목표가 되는 것이다. 사실 한국은 OECD 국가요 경제규모로는 세계 10위권의 나라다. 이러한 시장 경제의 진전에 비해 권력 시장은 한참을 늦게 가고 있다. 여기에서 오는 불협화음이 한국의 사회갈등의 본질이다. 이제 한국의 시장경제와 권력간의 불협화음의 원인을 살펴보면 그 대안이 만들어지지 않을까 싶다. 19대 대선의 주요 의제의 하나인 경제민주화가 바로 이를 표현하는 말이다

한국 시장, 즉 자본주의의 발달을 보면 급격함 그 자체이다. 고속성장의 세계적 모델이 되기까지도 했으니 말이다. 그러나 이러한 '빠름, 빠름, 빠름'의 이면에는 우리가 간과하거나 해야만 했던 일들이 너무나 많다. 경제성장과 기형적 권력의 배경에는 시장 또한 기형적이고 작위적인 면이 강했기 때문이다. 미국의 우산, 이를 빼고 한국 경제를 설명한다는 것은 불가능하다. 식민지 수탈, 전쟁의 폐허로 무너진 한국의 경제상황에서 자력으로 급속한 성장을 이룬다는 것은 사실상 불가능 했을 것이다. 전후 자본주의의 팽창과 미국의 패권 그리고 중국의 개방 등 일련의 전개가 한국 경제와 맞물려 돌아갔고 이는 분단국이라는 독특한 시스템이 한국의 시장과 권력을 한껏 특이

하게 만든 큰 원인이 되었다. 이에 대한 논증은 굳이 할 필요를 느끼지 못한다. 여기서는 이성적 권력으로의 이행을 지체시키는 이유만을 열거하며 이성적 권력으로의 이행을 앞당겨 보고자 하는 사회적 합의를 이끌어 내고자 함을 우선으로 하고자 한다.

이성적 권력 생산의 지체 원인을 몇 가지로 나누어 보자. 앞장에서도 언급했지만 본능적 권력의 종언이 1987년이라면 해방 후 40여 년의 시간이 필요했음을 말해준다. 1987년부터 이제 또 한 세대가 지나가려 한다. 그러나 한국의 권력은 아직 감성적 권력의 극치를 보여주고 있고 많은 이성적 대중들이 본능적 권력으로의 후퇴를 우려하고 있는 상황이기도 하다. 그럼 왜 이럴까? 누가 감성적 권력을 선호하는가? 아니 본능적 권력으로의 회귀를 불사하려 하는가? 바로 2류 재벌과 3류 우익이 엮어내는 한국 정치의 한 축이 바로 그들이다. 그들은 보수를 자칭하고 자청한다. 그러나 보수보다는 수구가 더 정확한 표현일 것 같다. 그들은 자신의 이익이 극대화 되는 변화가 아니면 받아들이지 않는다. 아니 마지못한 변화라도 자신의 이익에 맞게 고치려 무한 노력한다. 즉 외적인 흐름에 못 이겨 변화되기도 하지만 그것도 언제나 자신들의 배타적 이해를 위해 왜곡시킨다. 한국의 3류 우익들은 그 DNA가 친일우익이다. 그들은 반공우익 더 정확히 반북우익이다. 이 3류 우익들은 본능적 권력을 수호하려고 발버둥치다가 이제는 감성적 권력을 수호하려고 그들의 마지막 투혼을 불사르고 있다. 3류 우익들은 앞에서도 언급한 것처럼 모든 권력자들이 그랬던 것처럼 매우 '이성적'이다. 그들은 대중들의 감성을 자극하고 왜곡하고 비틀고 흥분시키기 위해 메마른 이성을 쥐어짜고 있다. 이는 2류 진보도 마찬가지다. 그들도 대중의 이성에 호소하기 보다는 본능적 시대에 사용하여 재미를 보았던 방식을 아직도 버리지 못함으로 인해 3류 우익으로부터 '선전 선동'이라며 손가락질 받거나 철지난 장타령으로 치부되어 버리고 만다. 그런 의미에서 2류 진보도 감성적 권력을 벗어나지 못하고 있다.

본능적 권력을 수호하던 3류 우익들은 지금은 2류 진보가 된 민주화세력에게 패함으로 인해 떨떠름하지만 감성적 권력의 87년 헌법을 받아들인다. 그러나 지금은 그 87년 헌법이 자신들이 지켜야 할 최후 보루인 것처럼 '헌법 수호'자가 되어있다. 아이러니가 아닐 수 없다. 전두환의 4 · 13 호헌 선언에 그렇게 쌍수를 들어 환호하던 3류 우익들이 아니었는가? 그런 그들이 그 해가 가기도 전에 개정된 헌법 정확히 말하면 민주화 운동세력이 만든 헌법을 수호하고 있는 것이다. 감성적 권력이 이제 이성적 대중과 사사건건 부딪히는 현 시점에서 놀랍게도 3류 우익들은 87년 체제 즉 한국의 감성적 권력의 헌법을 부여잡고 이성적 권력의 시대로의 이행을 두려워하고 있는 것이다.

이에 반해 야당들은 이성적 대중의 확대에 편승하지 못하고 권력분점에만 매몰되어 있다. 새로운 이성적 권력의 창출을 시대적 과제로 내놓지 못하고 있다. 그러다보니 모든 정책과 공약들이 여당과 차이가 없다. 물론 자신들은 근본적으로 다르다고 하지만 대중들은 그렇게 느끼지 못하고 있다.

3류 우익과 야당의 가장 큰 차이는 대북정책 즉 통일의 방식이다. 3류 우익은 대한민국은 1948년 이승만이 건국한 한반도의 유일무이한 합법국가라면서도 상해의 임시정부를 부정하는 경우도 있다. 헌법에도 '대한민국의 영토는 한반도와 그 부속도서로 한다.'는 것을 두 바퀴로 밀고 가고 있다. 대선을 앞두고 논란을 일으킨 NLL도 헌법적 측면에서는 3류 우익이 얼마나 자가당착적인 부류들인가를 증명하고도 남는다. 3류 우익들은 NLL을 국경으로 인정한다. 노무현이 이 국경을 포기했단다. 그러나 우리 헌법에는 북한과의 국경은 없다. 불법점거자들인 북한과 무슨 국경이 있는가? 우리가 그냥 그어놓은 선 아닌가? 그것은 휴전선이 국경이 아니듯이 말이다. 그러므로 북한은 우리 영토를 불법 점거하고 있으며 북한은 통일의 대상이 아니고 점령 혹은 퇴출의 대상이다. 이런 3류 우익의 논리에 따라 철저히 임기를 수행한 대통령이 MB다. 그는 박정희보다도 더 폐쇄적인 대북정책을 펼쳤다. 그러나 현실은 그렇지 않다. 남북은 한민족이고 같은 말과 글을 쓰는 한 핏줄이고 6·

25라는 치명적인 과거가 있지만 이제 서로 이해의 폭을 넓히며 동질성을 높이고 평화로운 연합을 위해 노력하자는 야당과 점점 그 벽이 높아지고 있다. 하지만 요즘 야당 또한 예전과 같은 노력이 없다. 종북 논쟁에 말려들까봐이기도 하겠지만 봉쇄된 남북관계가 어느 누구에게도 빈틈을 허용하지 않고 있는 모양이다. 사실 한때 북한 바로 알기 등 북한에 대한 감성적 이해와 감성적 통일 염원 등이 북한의 경제 현실과 세습문제 등 낙후되어가는 열등성으로 인한 대중적 무관심으로 이성적인 통일 논의로 발전되지 못하고 열등한 북한을 미워하거나 무시하지 않는다면 혹시 친북이 아닌지 혹은 3류 우익들의 말대로 종북이 아닌지 의심받는 시대로 뒷걸음질 쳤다. 물론 적대성의 강화가 통일을(점령을) 앞당긴다고 믿는 3류 우익의 생각대로면 진전일수도 있겠지만 말이다. 아무튼 한국의 3류 우익을 비롯한 많은 대중들은 북한 이야기만 나오면 묻지도 않고 따지지도 않고 본능적이고 감성적인 반응을 보인다. 이 지점이 한국의 권력을 본능과 감성을 넘어 이성으로 나아가지 못하게 하는 가장 큰 걸림돌이다. 6 · 25라는 본능의 회귀를 쓰라리게 맛본 한국의 노년세대는 어떠한 경우에도 북한을 용납하지 않는다. 그 세대는 이후 세대들이 북한을 바라보는 다양한 생각들을 위험하게 생각하거나 적대적으로 대하고 있다. 그들은 일부 종북세력과 혹은 어떤 3류 우익의 표현대로라면 5만명의 간첩이 존재하고 있으며 그들의 다양한 활동으로 자꾸 북한에 대한 적개심이 약화되고 있다고 믿고 있다. 물론 6·25를 경험한 세대는 전쟁을 일으킨 집단에 대한 근본적 불신에서 오는 본능적이고 감성적 판단 이외에는 다른 사고가 개입될 여지가 없다. 그만큼 전쟁 트라우마는 한 세대의 동질성을 형성하는데 무엇보다 큰 영향을 준다. 마찬가지로 87년 6월항쟁 시기에 청년시절을 보냈던 지식인들은 전쟁 경험보다는 약하지만 '세대'라는 동질감을 가질 만큼 충분한 경험을 공유했다. 한편으로는 북한을 적대하게 하는 조건들은 끊임없이 제공되고 있다. 최근만 해도 핵개발, 천안함, 연평도 포격, 3대 세습 등 이런 일들은 의도되었든 우연이었든 분단을 지속하는 양질의 자양분들이 된다. 이런 분단된 현실이 한국의 권력을 이성적으로 전진시키지 못하게 하는 가장 강력한 바리게이트가 되어왔고 앞으로도 특별한 외부 요인이 없는 한 계속될 것이다.

▍북한 권력의 질

한국 정치권력의 절대상수요 변수인 북한, 단순하면서도 한국 스스로 풀 수 없는 뫼비우스의 띠 같은 운명, 그것이 북한의 존재이다. 선거 때만 되면 터지던 간첩단 사건이 이번에는 NLL논쟁으로 업그레이드(?) 되었다. 어디부터 어디까지가 진

실인지 관련자(필자도 그 중 하나)들도 도무지 알 수 없을 것 같은 사건들이 숱하다. "북한!" 이는 듣기만 하여도 증오심이 가슴 속 밑바닥으로부터 끓어오르는 단어다. 그리고 비정상 국가의 최고 형태다. 그들의 지도자는 늘 잔인하고 파렴치하고 부도덕하고 여자관계가 복잡하고 기쁨조는 기본이고 대명천지에 3대 세습이라는 기막힌 권력을 유지하고 있으니 그 지도자를 위대한 수령님이라고 울고불고 열광하는 세뇌도 그런 세뇌가 세상에 없을 것이다. 마치 파블로프의 개처럼 말이다. 이상은 3류 우익의 마음으로 북한 권력을 묘사해 보았다. 아니 이렇게 마음을 먹어야 한국에서는 정상적 사고를 가졌다고 대담하게 말할 수 있다. 북한, 이는 한 핏줄이고 한민족이다. 그들의 권력자는 일제시대 항일운동을 했던 사람들인데 외세의 분단 정책으로 인해 그들만의 국가를 수립하고 북한식 사회주의를 시행하고 있다. 한때는 남한보다 앞서간 적도 있지만 대외적인 고립으로 인해 지금은 형편없이 어려움에 처해있다. 미국과의 갈등을 축으로 핵개발과 각양각색의 자위권을 행사하는 한편 한국과는 상시적인 대립으로 엄청난 에너지를 소비하며 점점 더 어려워지고 있다. 한때는 남한과의 관계가 진전되는 듯 했으나 현재는 최악의 상태를 유지하고 있다. 이것은 3류 우익의 입장에서 본 종북좌파들의 북한에 대한 '위험한' 인식이다. 사실 관계만 나열했기 때문이다. 그것도 나쁜 사실은 빼고 건조하게 표현했기 때문이다. 증오심이 없다. 그러면 친북이다. 이 두 입장의 차이는 사실 팩트를 보는 데에는 차이가 그리 크지 않다 즉 모두 사실이기 때문이다. 그러나 앞으로의 관계를 풀어나가는 데는 정반대의 방식을 낳는다. 3류 우익은 북한의 붕괴와 점령을 통한 자유시장의 확대와 자유민주주의로의 통일이다. 그것이 이승만 박정희 전두환으로 이어지고 정통성이라는 것이다. 여기에 김대중 노무현은 조선시대로 말하면 광해군이나 연산군 정도로 일컫곤 한다. 김영삼은 잘 언급하지 않는 것으로 평가를 대신한다. 그러나 두 번째 입장을 가진 사람들은 오히려 그 반대다. 김대중 노무현을 제외하고는 다 君자 칭호를 주고 싶어 한다. 이들도 북한을 안심시키고 자연스럽게 변화시켜서 일정 시간의 완충기 동안 평화적 교류를 하다보면 동질성이 커질 것이라고 믿고 서로를 인정하고 통일된 나라로 나아가자고 한다. 개성공단, 금강산 관광, 각종의 남북교류 등. 그러나 지금은 개성공단만 초라하게 볼모가 된 형국이다. 왜냐하면 이와 같은 후자의 입장은 3류 우익들이 보기에는 위험천만한 생각일 뿐이고 설령 순수한 생각이라 하더라도 그것을 '사악한 종북세력'들이 적화의 숙주로 사용한다는 것이다. 사실 분단보다 더 큰 분단이 이것이다. 그러면 같은 북한을 놓고 이렇게 다른 생각들이 엄연히 존재하는데 '진지한 토론'이 얼마나 우스워 보이겠는가? 이 정도 되면 사실 팩트도

두 개가 되기 일쑤다.

그러면 이렇게 오묘한 북한의 권력의 질은 어떨까? 주체사상의 핵심은 '사람 중심'이다. '사람 중심' 이야말로 가장 이성적인 언사다. 모든 것은 운명의 주인인 사람 즉 인민 대중이 결정한다. 그 중심에 인민의 총화인 수령이 있고 그의 영도만이 지속가능한 사회주의를 가능케한다는 것이다. 그런데 한국의 최근의 경영 철학의 대부분은 놀랍게도 '사람이 모든 것의 우선이다'(문재인 후보의 말이다.)로 표현된다. 또한 기업 경영에서는 '인재가 기업의 흥망을 결정한다.'는 공통의 철학을 표방한다. 그 중심에 재벌 창업자 2세, 3세가 있을 뿐이다. 얼마나 이성적인가?

기독교에서는 사람 중심의 철학을 무신론이라고 한다. 하나님 중심이어야 제대로 된 크리스천이라고 한다. 즉 이성은 사람 중심이기 때문에 영성 즉 초월적 존재를 믿는 기독교와는 배치되거나 한 수 아래인 것이다.

다시 북한 권력의 질을 생각해 보자. 북한은 정권 수립 이후 지금까지 변함없는 정치 체제를 유지해왔다. 그것도 3대에 걸쳐 말이다. 절대 권력이다. 인민 독재라고 표현하지만 1인 독재며 그를 둘러싼 테크노라트트들의 독재다. 다만 이것이 가능한 것은 바로 그 권력의 생산자들이 '잘 의식화'된 인민 대중이라는 데 특이함이 있다. 그들은 지도자를 가까이서 보면 진정으로 눈물을 흘리며 감격해 한다. 물론 단 한사람도 빼지 않고 그렇지는 않겠지만 혹시라도 다른 이야기를 스스로도 받아들일 수 없는 거역으로 느낄 만큼 '공포'스러울 정도로 우점종이다.

북한 정권의 성격을 살펴보자. 우리는 북한을 직접 가서 살펴보고 느끼고 이해할 수가 없다. 협소한 접촉이지만 각종 매체들을 통한 분위기 정도나 격앙된 대외정책을 아는 정도다. 그러나 북한의 각종 매체가 그들의 1인 지도자를 표현하는 것을 보면 다른 나라 사람들은 선뜻 이해할 수 없는 광적인 면이 있다. 여기에는 다른 의견이 용납되지 않음을 내포하고 있는 것이다. 다른 의견이 용납되지 않는다는 의미는 본능적 제약이 상존하고 있다는 뜻과 같다. 그래서 한국의 정보기관이나 많은 사람들은 북한의 인권이나 수용소, 총살형 등에 대한 이야기들을 사실보다 더 사실처럼 말할 수 있는 것이다. 아무튼 북한에서 1인 지도자에 대한 입장이 생각만으로도 불순하면 북에서 살기 어려운 것은 뻔한 사실이다. 1인 지도자에 대한 입장으로 수렴되지만 사실 이것은 그들의 시스템 전반에 대한 입장과 다르지 않다. 미국에 대한 불퇴전의 적개심, 주체사상으로 표현되는 북한 체제에 대한 신뢰는 절대적이어야 한다는 것을 의미한다. 그것은 그들의 모든 법과 제도에 강제되고 있다. 북한 인민들이 그것을 느끼든 느끼지 못하든 그것은 그리 중요하지가 않다. 북한의 지배 권력은 이러한 일체감을 단순히 총과 수용소로만 유지하고 있는 것은 아니다. 그것은 고대사회도 마찬가지였던 것처럼 애국심, 충성심, 나름대로의 만족감을 갖도록 충분한 감성적 계기를 제공하지 않으면 불가능하다. 적개심, 애국심, 정의감 등의 표현들이 다 그런 감성적 상태를 말하는 것이다. 일제하 독립운동과 그들의 표현대로면 미국과 맞선 해방전쟁. 근현대사에서 이 보다 더 큰 동질성을 어떻게 가질 수 있겠는가? 그리고 분단 철조망을 국경선으로 자신들이 가지고 있는 에너지의 거의 전부를 쏟아 붓고 사는 북한. 한마디로 전시 체제다. 그래서 선군정치가 먹히고 사령관이 절대 지도자다. 모든 것은 '적'들로부터 자신들을 지키는 것, 그것만이 선이다. 모든 감정도 거기로부터 시작되고 수렴된다. 게다가 공산주의자들의 전통적 학습 중시 전통이 강력하게 뒷받침 되고 있다. 아무리 본능적, 감성적 기제들이 잘 작동될 수 있다 해도 한계가 있다. 유사한 제국들의 흥망성쇠가 다 이 안에 있다. 어떻게 자신들의 정당함을 논리적으로 이해하고 있느냐 그 나름의 이성적인 인간의 특성을 존중하는 합리성이 있을 때에만 권력은 유지되는 것이다. 그것이 역사적으로 참이든 거짓이든 가치의 문제는 그들 스스로의 몫은 아니기 때문이다. 본능, 감성, 이성 이 3요소들이 적당히 잘 배분되어 북한의 오늘을 지탱하고 있는 것은 아닐까? 보통 세대를 넘어가며 똑같은 일체감을 갖게 되는 것은 이런 내·외적 조건들이 충실하게 주어지기 때문이다. 외적인 조건의 균형도 중국과 미국이라는 밸런스가 엄연히 존재하고 있다. 미국을 비롯한 서방이 만들어내는 북한에 대한 음울한 이미지에도 불구하고 그 어느 정권보다 오래 유지되고 있다. 여기에 한국이라는 존재 자체만으로도 긴장감이 팽팽해지는데 한국의 3류 우익들의 충동질은 북한 권력이 보기에는 인민들의 적개심과 자부심을 갖게 하기에 너무나도 좋은 계기가 될 것이다. 서로가 '존재의 이유'라고나 할까?

이와는 그 정도는 다르지만 중동의 이란이나 쿠바 같은 미국의 적성국들도 유사한 조건들을 가지고 있다. 친미 팔레비 왕조를 무너뜨린 이란의 근본주의는 그들의 코란에 충실한 권력을 민중들에게 설득하고 있다. 이스라엘이라는 태생적 적대국이 생존하고 팔레비의 부도덕함이 아직도 생생하고 코란의 이성적 지침과 석유의 행운까지 이란을 미국의 적성국으로 남게 하는 조건인 것이다. 쿠바 또한 미국의 턱밑에서 북한만큼이나 긴 세월을 고립(?)되어 살고 있다. 그러나 쿠바인들은 그것이 진정한 자유라고 믿고 있을지도 모른다. 이들 나라들은 본능적 권력, 감성적 권력, 이성적 권력이 절묘하게 균등화되어 있는지도 모른다. 이렇게 말하면 3류 우익들은 발작할지도 모른다. 찬양한다고. 그러나 분명히 밝혀둔다. 3류 우익을 싫어하는 만큼 북한도 좋아하지 않는다고 말이다. 서방세계가 볼 때는 말도 안 되는 독재국가이지만 자국민들의 생각은 이와는 전혀 다를지 모르기 때문이다. 차도르를 입고 있지만 이를 불편하게 생각지 않도록 하게 하는 코란도 있다. 수령의 면전에서 눈물을 흘리며 열광하지만 그것이 마지못해 하는 것이 아니라는 선행학습이 분명 존재하고 있다. 율법이 있고 강력한 법이 있다. 풍요로움과 다채로움은 서방세계에 턱없이 못 미치지만 고도의 이성적 사유로 움직이는 시스템도 있다. 이런 권력의 질을 가진 북한이 우리의 한 핏줄이라니…… 세계 유일의 분단국, 분명히 존재하는 두 개의 권력 단순한 두 개의 권력이 아니라 달라도 너무나도 다른 질의 권력. 어찌 이를 단순한 사고로 풀어갈 수 있을까? 아니 분석이나 제대로 할 수 있을까? 다만 서로의 존재를 위해 거기에 있어 주기를 바라는 사람들도 적지 않을 것이다. 마치 친일파가 한국에서 회생했던 일은 바로 공산주의자들이 있었기 때문인 것처럼 북한 권력도 그들이 가장 증오하는 미국이나 한국의 3류 우익이 절대 필요한지도 모른다. 절대 권력은 절대적인 무언가가 있어야 하니까 말이다. 3류 우익들은 북한을 호불호로 말하라고 강요하고 있다. 그 이외에는 어떠한 의미를 부여하건 용납되지 않는다. 북한권력을 바라보는 3류 우익의 눈은 마치 움직이는 먹잇감만 눈에 보인다는 개구리의 눈과 다를 바가 없다.

▌한국의 권력

한국의 권력의 질을 좀 더 섬세하게 살펴보자. 필자가 이 글을 쓰게 된 동기이기도 하다. 19대 총선에서 낙선하고 선거과정에서 느낀 점들을 기록해 두어야겠다는 생각에서 이 글을 쓰게 되었다. 한국 정치에서 선거란 바로 권력 생산 과정이다. 한국에서는 정치권력만 선거로 생산되는 것이 아니다. 대통령, 국회의원, 지방자치 단체의 장은 물론이고 이장, 농협의 조합장, 법인의 대표, 대학 총장, 노조의 위원장, 종교단체의 총회장. 심지어 노인회, 청년회, 향후회의 회장, 친목회 회장, 각종 관변단체의 장까지 한국은 세계에서 가장 선거가 일상화 되어 있는 나라다. 그리고 세계에서 가장 조직이 많은 나라라고 생각한다. 필자가 아는 범위에서는 말이다. 이 모든 조직들이 서로 아무 관련이 없이 자신들의 모임만을 위한 것처럼 보이지만 자세히 들여다보면 한국사회의 기형적 권력이 생산되는 과정을 한 눈에 볼 수 있을 것이다

내가 속한 선거구는 분단 한국의 최북단에 위치한다. 17대 총선에서 필자가 당선된 것 빼고는 거의 보수 정당이 패권적 지위를 누리는 곳이다. 이한동 전 의원은 내리 6선을 했다. 연천군수는 형제가 차례로 당선되는 기염(?)을 토했다. 그것도 한나라당 출신 형, 새누리당 출신 동생으로 말이다. 이 작은 농

촌지역의 조직화는 한 마디로 그물망보다 촘촘하다. 각종 공조직은 물론 수많은 관변 단체, 친목 단체 등이 모든 주민을 복수의 구성원으로 하고 있다. 예를 들면 농업경영인 회원이자 자율방범대원이거나, 새마을 부녀회원이면서 적십자 봉사대도 겸한다. 심지어는 6～7개의 각종 모임에 이름을 두고 열심히 활동하는 사람들도 적지 않다.

대부분의 조직들은 지역 사회에서 봉사활동과 친목을 목적으로 하고 그중에 많은 사람들은 정치적 편향을 꺼려하기도 한다. 그러나 선거 때만 되면 모든 조직들은 후보자들의 우선 관심 대상이 된다. 거의 대부분의 조직들은 음으로 양으로 각종 지원금이나 사업비 보조 등으로 정치권과 관계를 맺고 있다. 그렇기 때문에 단체들은 집권당보다는 지방 정부의 성격에 따라 그 성향이 대부분 결정된다. 그 이유는 보조금이나 지원금과 깊은 연관이 있다. 또 적지 않은 경우에 각종 이권이나 입찰 등에 관여하는 경우도 있다. 과거 군사정부 때에는 노골적이고 폭력적이었던 관변단체들이 이젠 형식적으로는 NGO의 모습을 하고 있다. 그러나 많은 지역에서 정치 성향을 보이고 있음은 주지의 사실이다. 이에 비하면 오히려 정당 조직은 뿌리 내리기가 참으로 어렵다. 겨우 대의원 명맥만을 유지하거나 선거 때나 후보자와의 관계만을 위한 일시적 조직으로 활동하다가 선거가 끝나면 다시 본래의 최소단위로 돌아가는 것이 한국 정당조직의 현 주소다. 물론 경상도와 전라도는 예외일 수 있으나 그곳에서도 경상도의 민주당, 전라도의 새누리당은 더하면 더 했지 타 지역의 정당조직과 다르지 않다. 농촌 지역의 대부분이 이런 형태로 조직되어 있는 현실이 한국의 정치 현실이다. 그것은 군사 독재 시절부터 주민들의 조직화를 위해 다양한 경로를 통해 만들어진 이유 때문이다. 그 당시에는 그 모든 조직들이 당연히 공화당이나 민정당의 외곽조직 역할을 훌륭히(?) 해냈던 것이다. 대표적인 단체가 바르게 살기협의회인데 이 조직은 읍·면 단위까지 조직되어 있으며 국가의 보조금도 받고 있다. 이 조직의 전신은 전두환 국보위 시절 사회정화위원회였다. 이런 식으로 만들어지고 유지 변모된 관변조직들이 오늘도 대부분 보수단체의 깃발을 들고 있는 게 사실이다. 이들 단체들의 보조금 삭제나 삭감을 법안으로 하려했다가 실패한 예가 17대 국회가 아니었나 생각된다. 그 이후로 이들 단체들은 더욱 극단적 보수화를 선택하게 되었다. 자유총연맹, 재향군인회, 바르게 살기협의회, 새마을운동지회, 민주평통, 그 외에도 이루 말할 수 없는 조직들로 들어가는 지자체 보조금 예산을 보면 실로 대한민국은 어떤 조직에도 들지 않고 사는 사람은 없다고 말해도 과언이 아닐 것이다. 전 세계 어느 나라를 가보아도 이렇게 다양한 조직들이 만들어지고 운영되고 그것도 일일이 국민의 세금으로 보조하고 사업비를 주는 나라가 없다. 이것은 분단 현실 속에서 국민 동원과 감시를 위해 만들어졌던 시대의 부산물이다. 설령 관변 단체가 아닌 친목회나 향우회 등의 모임이라 해도 선거 때면 정치화되기 일쑤다. 물론 후보자들이나 정당들도 어떻게 해서든 이 조직들을 자신들의 지지조직으로 만들고 싶어 안달이기도하다. 어떤 모임이나 조직들은 각종 선거를 겨냥하고 만들어졌다 없어지는 예도 허다하다. 이런 조직들은 각종 선거부패와 연관이 되기도 한다. 이런 조직들은 여론형성도 하고 실제적인 선거운동도 한다. 이런 이유로 한국의 전통적 농촌은 소위 보수성향이 강할 수 밖에 없다. 이는 노령세대로 갈수록 정도가 심하다. 이런 조직들은 건전한 토론과 비판이 이루어지는 훈련을 해본 적이 없다. 조직 내의 영향력 있는 리더와 조직 운영의 이해관계를 기반으로 끈끈한 연대가 특징이다. 일사분란하며 특히 감성적 여론을 전파하는데 능하다. 17대 총선에서 '노인 비하' 발언을 했다가 곤욕을 치른 정동영은 그의 정치인생에서 '대한 노인회'는 어느 조직보다 무서운 조직이라는 트라우마를 갖게 되었을 것이다. 그 후로 전국의 경로당은 선거 때만 되면 후보자들이 가장 많이 방문하고 눈치를 살피는 조직이 되었다. 고령화로 인해 이 조직은 더욱 더 힘을 얻을 것이다. 이 외에도 각종 취미 조직, 동호인 조직, 생활 스포츠 조직 등 숱한 모임들도 겉으로는 정치와 무관하거나 중립적인 것 같지만 선거 때면 자신들의 이해나 조직의 이해 등과 함께 호불호를 나타내기에 주저하지 않는 경우도 허다하다. 후보자들도 개별적 유권자들의 마음을 사는 것보다는 조직된 유권자들에게 호소하는게 효과적이라고 생각하는 것은 지극히 당연하다고 생각한다. 한국의 선거는 정당과 관변조직, 각종 생활 조직들이 어우러져 권력을 생산하는 독특한 시스템을 가지고 있다. 여기서 주목할 것은 이런 시스템이 잘 조직화된 것과는 반대로 정치의식 발전에는 오히려 걸림돌이 된다는 것이다.

왜냐하면 이 조직들은 대부분 그 조직의 생성 동기가 분단이념이 강하게 반영되거나 아니면 지역사회의 이해에 깊게 결부되거나 지극히 감성적인 주제들이 모임의 목적이 되는 경우가 대부분이기 때문이다. 감성적인 이해를 가진 조직들과 이념적인 조직들이 선거 때에는 나름대로 정치화되기가 아주 쉬운 경우가 허다하다. 이런 조직들은 대개 정치적 의사 결정이 토론과 비판과 이성적 수렴을 거치지 못하는 경우가 대부분이다. 이런 조직들이 촘촘하고 광범위한 지역일수록 소위 보수 세력의 튼튼한 아성이 되는 것이다. 선거 때마다 말하여지는 부동층은 대체로 아파트라는 집단 주거 단지에 사는 젊은층과 일치한다. 이들은 직장과 가정 그리고 각자의 자아를 실현하는 지극히 개인취향의 사람들이다. 이들은 어떤 관변조직에 가입한 적도 없고 정당조직은 물론이고 흔한 향우회나 취미모임도 가본 적이 없는 사람들이다. 이들은 선거 때마다 영향력의 변수는 되지만 늘 투표 참여가 저조한 유권자들이다.

한국의 19대 총선에서 나타난 지지 성향을 보면 소득 상위 계층, 농촌 지역, 영남 지역 그리고 저학력 저소득층은 새누리당을 지지한 반면 중산층과 고학력 전문직 그리고 호남 지역은 민주당으로 확연히 양분되었음을 보여준다. 여기에 세대별로는 노년층은 새누리당 젊은 층은 민주당이라는 등식도 더 견고해졌다. 여기서 주목할 만한 것은 저학력 저소득층의 보수정당 지지라는 대목이다. 보통의 정치 상식은 보수정당은 기득권층을 대변하고 진보정당은 서민 즉 소외계층을 대변한다고 하는 등식이 있다. 이 경계가 최근에 와서는 모호해지는게 세계적인 추세이긴 하지만 아직도 한국에서는 노골적이리만큼 지지기반이 확연히 다른 것이 현실이다. 그런데 왜 저학력 저소득층이 보수당인 새누리당을 지지할까? 사람들은 아주 쉽게 말한다. '무식해서, 혹은 정보가 없어서' 이것은 동어반복일 뿐이다. 물론 저학력 저소득층이라고 다 보수당을 선택하는 것은 아니다. 더불어 이 대목은 공산주의 계급이론이 허구라는 것을 명징하게 보여주고 있음을 우리는 알 수 있다.

여기서 이 책의 중요한 논거인 감성적 권력의 실제적인 증거 중의 하나가 바로 이것이다. 저학력 저소득층의 집단적 성향은 감성적이다. 그 원인은 다양하지만 저학력 저소득층의 공통적 특징은 이성적 사유의 훈련 기회가 적을 수 밖에 없다는 것이다. 공산주의자들은 이들이 물질적 조건에서 불만을 가질 수 밖에 없기 때문에 혁명 이념을 제공하면 휘발성이 강한 프롤레타리아 혁명대중이 되리라 믿었다. 하지만 저학력 저소득층은 역사적으로 공산주의자들을 보기 좋게 뻥쟁이로 만들어버렸다. 그렇다면 저학력 저소득층이 보수당을 지지하는 것은 대체 무슨 연유인가? 바로 보수 정치 정당의 마케팅이 감성적 대중을 상대하는 데 더 능하고 영악하다고 말할 수 있다. 감성적인 사람들의 사유구조는 대체적으로 단순하다. 흑백논리가 가장 잘 먹히는 사람들이다. 그리고 복잡한 언어보다 이미지가 훨씬 더 그들의 마음을 움직이는데 효과적이다. 그런 면에서 한국정치의 색깔론은 가장 자극적인 이미지가 아닐까? 게다가 오랫동안 학습해온 강렬한 기억들이 늘 잔상에 남아 있는 대중들에게 그때 그때 같은 대상이지만 자극적인 소재들은 얼마든지 만들어낼 수 있으니 말이다.

이에 반해 강남의 부자들은 냉철하기가 이를 데 없다. 무서울 정도로 집단 이성을 발휘한다.

강남 3구가 보수당의 아성인 것은 더 이상 설명이 필요 없는 한국의 정치 현상이다. 그것은 공정택 후보가 출마한 17대 서울시 교육감 선거에서 소위 강남의 투표 현상은 냉철하기 이를 데 없는 집단행동이었다. 물론 공정택은 얼마 후에 그 직을 물

러났고 그 반대급부로 진보 진영의 곽노현 교육감이 당선되었으나 역시 낙마하고 말았다. 박원순 시장 선거는 더 강남의 집단 이성이 발휘되었지만 그보다 더 변화의 바람이 거셌기에 강남은 고배를 마셨다. 강남의 유권자들은 자신들의 이해에 충실하다. 어느 후보가 자신의 재산을 지켜주고 증식시켜 줄 것인가? 여기에 정확히 자신의 도장을 찍는다. 이것이 저소득 저학력층과 다른 점이다. 가진 것이 많을수록 냉정하고 계산적이다. 이성적인 사람과 감성적인 사람이 승부를 걸면 대체적으로 이성적인 사람이 이긴다. 작은 결론 하나－한국에서 고학력 중산층은 보통 리버럴하다. 부유층과 저학력 저소득층은 보수적이다. 이것이 한국의 독특한 권력의 질이다.

또 하나의 독특한, 선뜻 이해할 수 없는 이성과 감성의 뒤섞임이 있다. 바로 북한이라는 존재를 바라보는 시각이다. 1987년 12월 한국의 정국은 1년 내내 용광로였다. 박정희, 전두환의 후예들이 체육관 선거로 권력을 유지하려고 4·13 호헌 조치를 취하자 뇌관은 터지고 말았다. 6월 항쟁은 한국의 권력의 질을 바꾸어 놓았다. “직선제로 대통령을!” 이 평범한 슬로건이 혁명적 슬로건이 되었던 6월 그리고 그해 12월 실제로 선거가 치러졌다. 이 때 우리와 운명적인 북한은 한국의 역사적 선거에 아주 극적인 개입을 한다. KAL 858과 김현희. 이보다 더 극적인 장면이 있을까? 그 후로도 대통령 선거 때면 어김없이 북한이 개입한다. 물론 그 때마다 북한은 이를 부인하지만 92년 김영삼이 죽어가는 보수의 수명을 연장시키며 대통령에 당선 될 때에는 희대의 공안사건이 벌어진다. 필자도 거기에 연루되었지만 지금도 미스터리다. 이루 헤아릴 수 없는 사건들이 각종 선거가 있는 해에는 유독 극적으로 발생한다. 이런 사건들을 접할 때마다 그 사건의 해석을 놓고 극명하게 입장이 갈린다. 가장 흔한 입장은 '북한이 남한의 선거 시기를 틈타 혼란을 야기하고 적화를 앞당기기 위해 무력도발을 한다.' 바로 이것이다. 여기에 야당은 언제나 선거 시기라는 미묘한 시기에 일어난 만큼 의혹의 눈으로 바라본다. '그래도 북한이 스스로 괴뢰정권이라고 하는 보수 정권의 승리를 원하겠느냐 오히려 북한 도발을 빌미로 보수층의 결집과 색깔론을 강화하기 위함 아니냐?' 이런 식이다. 그러면 북한은 자신들의 내부 결속을 위해 남한에서 보수 강경 정권이 필요하다. 오히려 개방을 하지 않으면 안 되게 하는 유화적인 정권은 부담이 될 수 있다. 그래서 겉으로는 진보 진영에 가까운 것 같지만 속으로는 '괴뢰 정권'을 원한다. 그렇다면 우리의 3류 우익들은 북한을 무척 고마운 존재로 여겨야 하지 않을까? 그리고 민주당 등 진보 진영은 그러한 북한에 대해 확실한 인식의 재정립을 해야 하지 않을까? 이 대목에 이르면 대부분의 사람들은 머릿속이 하얗게 되고 말 것이다. 3류 우익이나 북한 정권도 모두 우리가 극복해야 할 대상들이다. 물론 현실은 그들의 지배하에 있지만 말이다. 3류 우익과 북한 정권의 공통점은 매우 이성적이며 매우 인간미가 없다는 것이다. 그러므로 그들은 감성적 대중을 잘 요리할 줄 알고 본능적 권력으로 언제든지 회귀해도 자신들의 목적을 위해서는 무방하다고 생각하는 집단이다. 그리하여 그들은 서로가 서로를 필요로 하면서 자신들이 지배하고 있는 대중들에게는 서로 원수로 대하길 원하는 것이다. 이런 인식을 갖고 나면 친북, 종북 소리는 듣지 않아도 될 것이다.

18대 대선의 의미와 사명

18대 대통령 선거가 한달 여 앞으로 다가 왔다. 역대 대선이 그야말로 각 진영이 사활을 걸지 않은 적이 없고 모든 국민이 죽기 아니면 살기로 달려드는 형국이 아닌 적이 없다. 70년 대선 박정희는 김대중의 약진에 놀라 유신 헌법을 만들고 일인 장기 집권을 꾀하다가 궁정동 안가에서 최후의 만찬을 즐기다 그 권력을 다했다. 이를 전두환이 7년을 연장하고 나서야 본능적 권력은 종언을 고했다. 직접 선거로 선거가 치러진 노태우 이후 김영삼, 김대중, 노무현 그리고 이명박 까지 25년의 시간이 흘렀다. 본능적 권력이 6월 혁명으로 감성적 권력으로 진화되고 87년 헌법체제가 이제 한 세대 30년의 마지막 5년을 채

우려고 하고 있다. 그것이 시간적으로 18대 대선이다.

87년 6월 혁명으로 그들의 권력 생산 방식을 직선제로 바꾼 대중은 아이러니하게도 전두환의 후계자에게 권력을 돌려준다. 엄밀히 말하면 직선제라는 권력 생산 시스템과 노태우 정권을 교환한 것이다. 이것이 한계였지만 노태우 정권 5년 동안 아직도 잔재하는 본능적 권력을 털어내고 감성적 권력으로 이행하려는 노력을 멈추지 않았다. 이 때 일부 공상적 좌파들은 '거봐라. 그래서 직선제는 개량주의였다.'라고 의기양양하게 단숨에 혁명을 외쳤지만 그것은 좌익소아병 이상도 이하도 아니었다. 이 땅의 3류 우익들은 노태우로 그들의 권력을 유지하는 대신 직선제라는 부담스러운 권력 생산 시스템을 받아들이지 않으면 안되었다. 그것이 노태우 정권의 의미이다. '위대한 보통 사람들'의 시대. 노태우가 '보통 사람'을 이야기 하다니! 이것이 바로 감성 권력의 시작이다. '위대한 보통 사람의 시대' 직선제를 대하는 보수파들의 정치 공학적 수사였다. 이렇게 노태우 정권은 본능과 감성이 뒤섞여 그 종말을 감옥행으로 마무리 한다. 되돌릴 수 없는 권력 생산 시스템 직선제를 남겨두고 말이다. 그러나 보수 우익들은 그들의 권력을 내어줄 수 없었다. 그것이 권력의 생리이기도 하다. 그들의 자존심도, 여력도 바닥이 났다.

그 때 나온 절묘한 카드가 김영삼이었다. 문민 정부! 이 얼마나 고대하던 권력의 이름표였는가? 지긋지긋한 군사 독재가 이제 실질적으로 끝나는구나! 이런 생각을 하게 했다. 결국 김영삼의 권력욕과 본능적 권력의 마지막 몸부림이 YS정권이었다. YS의 하나회 청산, 금융실명제 등은 실질적인 본능 권력을 청산하는 큰 의미가 있었다. 본능적 권력의 자존심을 버리고 YS 뒤에 숨어 그들의 퇴로를 준비하지 않으면 안되었던 3류 우익들은 이제 역사의 전면에서 사라지게 된다. YS의 이미지를 의탁할 수 밖에 없었던 3류 우익들의 뭉개진 자존심은 이후 김대중, 노무현 정부 10년을 잃어버린 10년이라며 목 놓아 외치지만 결국 스스로들도 이제는 87년 헌법의 위대한 수호자를 자처한다. 그것이 3류 우익의 '헌법 수호'다. 참 웃기는 일이다. 4 · 13 호헌을 그렇게 외치던 자들이 이제는 87년 헌법을 무슨 애국의 보루라도 되는 듯 하니 말이다. 하기야 이들 마음속에는 유신 헌법이 최고의 헌법일지도 모르지만 말이다. 이렇게 YS의 감성 정치, 감성의 권력은 노태우보다 훨씬 진전하고 이제 본능적 수단을 더 이상 사용할 수 없는 시대를 열었다. 이 때 50년 만의 정권 교체가 이루어 진 것은 결코 우연한 일이 아니었다.

김대중 정부, '국민의 정부', 본능적 권력의 최대 피해자, 김대중 정권은 본능적 권력과 완전한 결별을 하게 된다. 이 얼마나 큰 진전인가? 이제 진정한 감성적 권력 경쟁이 시작된다. 분단, 지역, 이념, 세대 갈등이 대중들의 감성을 자극하는 수단이 된다. 3류 우익을 비롯한 보수파들도 심기일전, 그들의 전략을 수정하지 않을 수 없었다. 아직 집단 이성을 발휘하지 못하는 대중들에게 이미지와 감성의 대결이 본격적으로 펼쳐진다. 김대중 정권의 역사적 의미는 바로 이것이다. 시스템 내 권력 경쟁, 감성경쟁, 이념경쟁이다. 검찰, 사법부 등 생리적으로 보수적인 권력과 긴장과 갈등을 유지하며 김대중 정권은 정권교체의 위대한 사명을 완수한다. 직선제 하의 권력 생산이 언제나 아슬아슬한 승부가 날 수 밖에 없는 이유는 분단이 가장 큰 토양이요, 숙주다. 어느 정도 감성적 권력의 시대에 적응한 3류 우익들의 유일한 생존 본거지는 분단이다. 지역감정도 추운 겨울 참나무에 매달린 분단의 겨우살이 일 뿐이다. 김대중의 색깔론, 민주화 세력을 친북으로 이미지화하는 감성 권력의 큰 프레임을 정착시킨다. 이것이 그들의 전략적 변화의 알파와 오메가이다. 사실 이것 이외에는 다른 것이 없다. 다른 사안은 경쟁이다. 허나 이 문제는 격한 투쟁이다.

87년 체제 감성 권력의 시대는 노무현 정권의 탄생을 기점으로 정점을 향해 치닫는다. 역사상 가장 감성적인 대통령을 말하자면 주저 없이 좌우를 막론하고 노무현을 지목 할 것이다. 그는 지극히 감성적인 정치인이다. 맑은 영혼의 소유자였다. 이성적이고 상식적인 사람이었다. 그는 정치인으로서 권력의 정점에 있는 사람으로서는 보기 드물게 그의 캐릭터의 우점종은 감성이었다. 독재 권력의 압박에 짓눌렸던 대중들, 권위주의의 위선에 스스로를 가두었던 대중들이 한 정치인을 통해 스스로의 감정을 토해냈다. 노무현 정권은 대중의 감성을 극대화하는 정치 테크노라트의 성공이었다. 그런 감성적 정치는 지금까지 눌려왔던 구 정치의 찌꺼기들을 쓸어버리는 카타르시스가 되기에 충분했다. 그러나 정치 현실은 이것이 전부가 아니었다. 잃어버린 10년을 대중들에게 끈질기게 설득한 보수 세력이 전열을 정비하고 이제 그들만의 감성터치가 힘을 발휘하기 시작한다. 감성정권 노무현 정권의 한계는 현실권력을 너무 얕잡아 보거나 무지했거나 아니면 스스로 그 한계를 인정했거나 어찌 되었든 반쪽의 성공이었다고 자평하며 끝나고 만다. 그것도 자살이라는 감성적 결말로 말이다. 87년 체제, 감성적 권력의 시대는 노무현의 클라이맥스로 끝나지 않는다. 5막극이 클라이맥스로 끝나는 것이 아니라 대단원의 정리가 필요하기 때문이다. 노무현의 실패는 이명박을 크로스한 감성으로 감성 권력의 클라이맥스는 잠시 더 연장된다.

박정희의 이미지, 경제 대통령, 성공 CEO... 이제 성장의 환상이 다시 한번 어려운 경제를 살아가는 대중의 마음을 현혹한다. 서민들이 더 열광한다. 그러나 그것은 당선되고 얼마 지나지 않아 환상이었음을 인식하고 대중들은 이내 돌아선다. 이명박 정권을 어떻게 기록할까? 감성적 권력의 시즌2로 그것도 우익 버전 이상도 이하도 아니다. 자, 이제 18대 대선으로 이야기를 돌려보자. 19대 총선의 의외의 결과에 대해 새누리당(나는 당명을 바꾸는 것으로 변화를 꾀하는 것도 대중을 참 우습게 보는 증거 중에 하나라고 생각한다.)도 민주통합당(여기도 당명을 바꾸기는 마찬가지이지만)도 놀라지 않을 수 없었다. 참패를 예상했던 새누리당의 압승이 민주당이 받은 충격보다 더 새누리당을 놀라게 했다. 이것을 어떻게 보아야 할까? 무엇이 새누리당을 겉으로는 압승을 하게 했는가? 이 문제에 대한 답이 곧 18대 대선의 결과가 될지도 모른다.

민주당의 19대 총선 참패를 사람들은 민주당의 잘못으로만 돌린다. 과연 그럴까? 그렇다면 대중들은 언제나 바른 판단만 한다는 전제가 있어야 하는 것 아닌가? 물론 선택의 결과가 고스란히 대중의 몫이니 대중의 잘잘못을 따지는 것은 무의미 할지도 모른다. 그러나 19대 총선의 결과는 우리에게 역대 어느 선거보다 많은 것을 시사해 주고 있다. 19대 총선을 통하여 나타난 현상 중에 가장 큰 것은 선거구도의 고착화, 경화이다. 동서, 이념, 상위계층과 하위계층의 보수화, 젊은 세대의 높은 유동성, 이런 구도들이 고착화 되었다는 것이다. 그 가장 큰 이유는 이미 한국사회는 정의와 불의보다는 유·불리로 판단하는 보수화가 깊게 진행되기 때문이다. 두 번째 이유는 보수주의자들과 이들의 뿌리인 3류 우익들이 전략적으로 정치혐오감을 부추기고 여기에 이념적 색깔론으로 덧칠하는 극단적 감성주의가 극에 달했기 때문이다. 이것은 대중의 집단 이성이 만들어지기 전 단계를 보여주는 현상일지도 모른다. 아직 한국의 대중들은 개별적으로는 이성적 정치의식을 가지고 있을지 모르지만 집단적 표심으로 나타나지는 못하고 있기 때문이다. 정치의식은 세습되거나 축적되지 않는다. 경험과 학습으로만 될 뿐이다. 그런 이유로 한국의 젊은층의 의식은 그 어느 때보다 감성적일 수 밖에 없다. 세 번째, 공중파의 놀라운(?) 역할이다. 2011년 말, 한나라당이 새누리당으로 당명을 바꾸기까지의 여론은 새누리당의 참패였다. 그러나 선거가 다가올수록 민주당을 바라보는 여론이 싸늘해지기 시작했다. 바로 노년층이 많은 농촌지역, 저학력 저소득층 등 SNS나 인터넷과는 거리가 먼 유권자 1천만의 표심을 뒤흔든 것은 바로 공중파 TV였다. 이 방송들은 '나꼼수'의 파렴치함(?)을 참으로 감성적으로 반복해 주었다. '목사의 아들 김용민의 막말' 이것은 감성적 기독교인들을 자극하기에 충분했다. 보수 기독교가 이를 부인하지 않으면 스스로 견딜 수가 없었다. 이것으로 끝이었다. 동쪽의 농촌은 민주당 전패였다. 17대 총선에서 바로 똑같은 그 유권자들은 당시 열린우리당에 한 표를 주었다. 왜냐하면 그 당시에는 공중파 TV가 연일 대통령을 탄핵하는 한나라당의 볼썽사나운 모습을 반복해 보여주었기 때문이다. 여기서 주목할 것은 결코 농촌의 노년층이나 저학력 저소득층이 보수적이지 않다는 것이다. 다만 감성적이라는 것이다. 그래서 TV를 통해 그 감성에 호소하는 보도에 의존하여 판단을 하게 되는 것이다. 이것을 새누리당과 이명박 정부는 2004년 17대 총선에서 절실히 느꼈던 것이다. 그래서 방송장악을 어떤 비판과 비난을 무릅쓰고라도 자행했던 것이다.

18대 대선이 한 달 여 남짓 남았다. 이렇게 硬化된 대중과 새누리당의 극단적 선택으로 40%의 유권자는 확고부동하다. 새누리당과 보수정권 그리고 3류 우익들은 그들의 운명을 모두 걸고 대선에 임할 것이다. 그것은 원하든 원하지 않든 한국에서의 감성적 권력 생산의 마지막 공정이라는 것을 그들이 알든지 모르든지 상관없이 말이다. 물론 민주당이 정권을 잡는다 하더라도 87년 체제 즉 감성적 권력의 시대를 마감할 것이라는 보장은 없다. 새누리당 정권이 되든 민주당 정권이 되든 5년의 시간이 더 필요할 지도 모른다. 다만 새누리당이 집권하면 확실하게 5년의 집단적 학습이 필요할 것이다. 서로가 상대에 대하여 "너희가 정권을 잡으면 나라가 망할 것이다"라는 믿음을 가지고 있는 한 우리의 이성적 민주주의는 아직 더 인내가 필요하다는 증거가 된다.

▌야권 단일화에 대하여

단일화란 한국정치에서만 볼 수 있는 참 독특한 현상이다. 대부분의 나라에서는 연정이라는 말을 많이 쓰며 실제 많은 나라가 연정을 하기도 한다. 그러면 왜 단일화라는 대중적 요구가 있고 당연한 듯이 말할 수 있으며 이에 대해 후보들도 의무감이나 부담감을 느끼는 것일까? 이 대목이 한국 정치를 단적으로 보여주는 아주 좋은 예다.

한국 정치는 아직 '선악의 싸움'이다. 최소한 당사자들끼리는 그렇게 믿고 있다. 악을 물리치기 위해 힘을 합쳐야 한다는 것이다. 이는 늘 야권의 상황이었다. 만약 선과 악의 싸움이 아니라면 굳이 단일화를 할 필요가 있겠는가? 그리도 절박하게 말이다. 한국 정치는 해방정국 이후 지금까지 전쟁과도 같은 싸움이었다. 그 강도가 점점 약해졌을 뿐 지금도 서로가 적대적일만큼 감정적이다. 그 이유는 분단에 있음을 누차 강조했기 때문에 부연할 필요는 없을 것 같다. 단일화가 되고 안 되고는 이 책의 중요 관심사가 아니다. 다만 감성적 권력 87년 체제가 5년 연장되느냐 아니면 집단이성이 2013체제의 원년을 만드느냐에 주목할 뿐이다. 즉 이성적 권력의 시대를 여느냐 아니냐의 의미 이상도 이하도 아니라는 것이다.

제 4부

영성의 권력

본능은 생명의 영속성을 위한 장치다. 감성은 희로애락의 마음이다. 이성은 공동체의 영속성을 위한 장치다. 그렇다면 영성이란 무엇인가? 나는 아마추어 합창단원으로 10여 년을 함께 노래해왔다. 시골의 작은 교회의 성가대에서도 그보다 더 오래 합창을 하고 있다. 보통 혼성합창은 4부로 이루어지는데 소프라노, 알토, 테너, 베이스로 나뉜다. 음악의 전문가는 아니지만 화성학에서 4부 화음을 왜 기본으로 하는지 노래를 하다보면 그 이유를 몸으로 느낄 때가 있다. 정말 아름다운 노래에 네 파트의 단원들이 각자의 자기 소리를 내며 몰입하다 보면 어느새 합창은 더 이상 우리들 개개인의 소리가 아닌 전혀 다른 소리가 되어있는 것이다. 소프라노는 가장 본능적인 소리, 알토는 감성적인 소리, 테너는 이성적이고 침착한 소리, 베이스는 내면의 깊은 소리, 신비한 영적 울림이랄까? 그냥 밑도 끝도 없이 나만의 즐거운 비유를 즐긴다. 영성이란 저 밑바탕의 무엇, 때로는 너무 낮아 희미하기도 하고 어느 때는 모든 음을 감싸듯 웅장하기도 하고 한 베이스의 울림－소프라노를 부드럽게 감싸고 알토의 지나침을 잡아주고 테너의 날카로움을 둥글게 해주는－그런 음역 같은 것은 아닐까? 영적인 세계에 대하여 수많은 언설들이 있어왔다. 신비의 세계라고 하기도 하고 존재하지만 증명하기 어려운 무엇, 그것이 악령이든 신령이든 성령이든 그 영적 세계의 존재를 일방적으로

부인할 사람도 많지는 않을 것이다. 원시 종교로부터 현재 신앙에 이르기까지 영적세계는 사람과 함께 줄곧 존재해왔다. 불가사의한 일을 만났을 때, 자신의 능력을 넘어선 것을 바랄 때, 죽음이라는 미지의 사건에 이르렀을 때, 이럴 때 사람들은 영적 세계를 떠올린다. 이해를 돕기 위해 이성적인 언어로 서술된 영성에 대해 나열해보자. 아무래도 영에 대해 많은 언급을 하는 종교는 기독교요, 성경이다. 기독교는 하나님을 영이라 하고 그의 대적을 사탄(악령; 마귀)이라 한다. 살아있는 두 존재는 모든 만물의 창조와 운행에 관여한다. 사도이자 기독교를 신학의 세계로 안내한 바울은 기독교의 영 즉 성령에 대해 구체적 언어로 표현한 최초의 사람이다. 당시 최고의 지식인이고 철학자였던 사울이 다마스커스에서 신기를 체험하고 사도의 길을 갔고 결국 그가 증거하던 예수처럼 세속 권력에 의해 희생으로 죽었던 사람이다. 그가 성령을 표현한 언어는 그 묘사가 회화적이거나 의태·의성이 아니다. 물론 바울이 다마스커스의 길 위에서 눈이 멀고 천둥소리 가운데 “사울아 사울아, 왜 나를 핍박하느냐?” 이런 소리를 들었다고 표현한 것이 있긴 하다. 이런 표현들은 지금도 사기성 짙은 신자들에게서도 흔히 볼 수 있는 이야기들이다. 바울은 영성(성령)을 직접 묘사하기보다는 마치 식물의 내면을 일일이 알 수 없지만 그 열매를 보고 그 성질을 알아내듯이 바울도 보이지 않는 영성에 대해 이성적 언어로 표현하기 위해서는 그 작용으로 인한 결과를 말할 수 밖에 없었던 모양이다. 그는 성령을 받은 사람, 영성의 사람은 그 행위와 마음에서 이런 개념의 언어를 볼 수 있다는 것이다. 아홉 가지를 들었는데 사랑, 희락, 화평, 오래 참음, 자비, 양선, 충성, 온유, 절제라고 썼다. 이는 가톨릭 성경에는 사랑, 인내, 성실, 절제, 평화, 호의, 선의, 온유, 기쁨이라고 썼다. 그 표현에 차이를 둘 필요는 없다. 여기에 열거된 9가지 열매 즉, 동양적 표현으로는 덕목이 영적인 움직임의 산물인가? 아니면 인간의 선한 본성인가? 그것도 아니면 수행의 결과인가? 이런 논쟁으로 이루어진 종교사나 제자백가의 서술들이 얼마나 헤아릴 수 없이 많은가? 선한 본성이 드러나도록 정진할 것인가? 성령의 감동을 구하고 기다릴 것인가? 이 둘의 차이는 무엇일까?

해부학에서는 눈(안구)은 우리가 볼 수 있는 뇌라고 한다. 즉 눈은 돌출된 뇌라는 뜻이다. 그도 그럴 것이 사람의 정보 습득의 90%는 바로 보는 것, 눈의 역할이라고 한다. 눈을 보면 마음을 알 수 있다고 한다. 그러나 눈을 보면 그 사람의 뇌의 활동－의식, 생각을 알 수 있다는 것이 더 정확한 표현일지 모른다. 의식 즉 이성은 분명 뇌의 작용이다. 이 뇌를 단순화하여 본 뜬 것이 컴퓨터일 것이다. 컴퓨터를 일컫는 중국어 '띠엔나오(電腦, 전자뇌)'는 그런 면에서 재미있고 탁월한 조어라고 생각한다. 본능 즉 신체적 대사와 작용들은 우리의 몸 안에서 구현되어 있다. 그러면 감성, 마음, 느낌은 무엇이 작용하며 감성과 영성은 어떻게 다른가?

나는 아주 예쁜 강아지를 5년 째 키우고 있다. 암수 한쌍인데 가만히 살펴보고 있노라면 이놈들이 어찌 그리 영리한지 이들도 느낌, 마음이 있는 것이 확실하다는 생각이 든다. 주인을 보고 반가워하는 것, 주위의 사물을 구별하는 것, 호불호를 분명히 하는 것, 이는 동물의 본능을 넘어선 감정으로 보인다. 개만의 본능으로 말하기엔 너무 인간 중심적인 느낌이 든다. 감성, 느낌, 마음, 이는 분명 본능, 이성과는 다른 그 무엇이다. 이는 어디서 일어나는 것일까?

나는 감히 말한다. 心 이다. 심장이 있는 동물은 모두 그 나름의 느낌의 세계가 있다. 한의학에서 5장은 肝, 心, 脾, 肺, 腎을 일컫는데 그 중 4개의 장기는 '月' 즉 '肉' 부수에 있는 한자다. 오직 '心'만이 제 부수다. 한의학에서는 '心'을 君主之官이라 한다. 이 '心'은 단순히 혈액을 순환시키는 펌프만이 아니다. '心'은 뇌와 아주 깊게 연관되어 있다. 뇌의 한자도 月부수에서 찾아야 한다. 뇌도 심에 비하면 그냥 장기에 불과하다고 보는 것이다. 뇌사는 있어도 心사는 없다. 생각만 해도 심장은 두근거린다. 심장은 제 맘대로 근이다. 이 心속에 네 가지가 다 들어 있다. 心 네 부수 속에 생명의 모든 것이 들어있다. 본능, 감성,

이성, 영성이 다 들어있다는 뜻이다. 그러므로 느낌, 마음, 감성은 心의 작용이다. 인간의 몸도 본능, 감성, 이성, 영성이 조화로운 상태, 이를 건강한 몸이라 할 수 있을 것이다. 어느 것 하나가 우점종으로 보일 때 동양에서 말하는 中庸에서 벗어남을 말하는 것이리라. 인간의 영(靈)도 이 心에 깃들지 않을까?

여기서 참 재미있는 음료, 술에 관한 이야기를 해보자. 나는 할머니와 많은 이야기를 나누며 어린 시절을 보낸 기억이 있다. 많은 이야기 중에 술에 관한 할머니의 재미있는 표현이 하나 있다. 할머니는 '술은 도깨비국이다.' 이렇게 정의하셨다. 이유인즉슨 술을 마시면 사람이 도깨비가 된다는 뜻에서였던 것 같다. 술은 이성적인 사람을 감성적으로, 더 과하면 본능적으로, 더 나아가면 도깨비처럼 사람 같지 않게 만드는 신기한 음료다. 여기에 술의 마력이 있는 것이고 인류사와 함께해 온 것 아닐까 싶다. 이성적인 일, 감성적인 일, 육체적인 일 등 어떤 것을 주로 사용하는 사람이든 그 일로 인한 긴장을 이완시키기 위해 가장 손쉽게 효과를 발휘하는 게 술이다. 물론 술기운이 남아 있을 때까지이지만 말이다. 사실 본능적, 감성적, 이성적, 영적 균형이 잘 맞는 사람은 술의 필요성을 느끼지 못한다. 그렇다면 다운음료인 술보다 업음료는 없을까? 유감스럽게도 없다.

영성에 대한 정의만큼 다양한 개념은 없을 것이다. 한국의 기독교인들만큼 일상적으로 성령, 영성을 말하기 좋아하는 사람들도 없을 것이다. '성령을 받아야 한다.', '그 사람 성령충만해', '성령, 성령,…… 또 성령'. 이런 신도들을 유심히 보고 있노라면 참 잘 훈련된 신도거나 자신도 모르는 걸 아는 체 하는 사람이거나 둘 중에 하나라는 생각이 든다. 영성(성령)이라는 게 그렇게 쉽게 떠벌려 질 수 있는 개념인가? 영성을 철학적 사유로 궁구하려고 노력한 화이트헤드는 영성은 인간의 주체적 사유 즉 본성의 발현을 위한 개념으로 이해했다. 그 사실 여부를 떠나 영성은 이성적 고뇌의 끝에 매어달린 그 무엇이라고 나는 덧붙이고자 한다. 이는 감정이입, 몰입 등의 자기 목적이 깊이 내재된 감성을 영성이라고 우기거나 착각하는 한국의 기독교인들에게 꼭 해주고 싶은 말이다.

고대사회에서 종교, 즉 무교는 권력이었다. 현대 사회에서도 종교가 권력의 핵심인 나라가 허다하다. 그렇다고 영적인 힘으로 그 권력을 생산하거나 행사한다고 볼 수 만은 없다. 원시사회의 무속의 힘은 불가해한 자연에 대한 경외, 이를 예언한(?) 무당의 힘이다. 그러나 이것이 현대 종교로 내려오면서 양상은 더욱 복잡해져 왔다. 아무리 과학과 이성이 섬세해 진다해도 불가해한 영역은 여전히 남아있다. 인간의 이성적 능력으로는 영원히 알 수 없는 것들은 이성이 발달할수록 많아지는 것도 아이러니다.

영성훈련, 영성개발 등등의 노력들을 현대인일수록 더 의욕

적이고 의도적으로 하고 있다. 이런 것들도 다 이성의 한계를 절감한 연유에서인 면도 크다. 물론 이성적 고뇌 없이 매달리는 사람도 많지만 말이다. 이 책에서 영성의 본질을 논구하려는 의도는 없다. 아니 그럴 능력도 없다. 다만 인간의 본성에 영성이 있음을 확신하기에 그 의미를 찾고자 할 뿐이다. 우주에 충만한 기운(기독교에서는 생기 혹은 숨, 호흡)을 사람이 받으면 영이 된다. 그 기운을 가진다는 것, 한 사람의 몸속에 구현되어 있다는 것은 그의 실천을 통해서만 볼 수 있을 뿐이다. 성스러운 영이든 악한 영이든 사람의 삶을 통해 작용한다. 4부 합창의 베이스같이 다른 세 파트에 간섭하며 전혀 다른 새로운 소리를 만들게 하는 것이 영성이다. 사람들은 영성을 신비하게 생각한다. 그럴 수도 있다. 하지만 본능적인 영역은 감성적 영역이 신비로울 것이다. 이성적이고 냉철한 사람을 보면 감성적인 사람들은 차갑고 인간미가 없다고 하면서도 경외하는 것도 사실이다. 그런 의미에서 영성이 신비롭다는 것은 당연한지도 모른다. 하지만 영성이 풍부한 즉 우주에 충만한 기운과 소통하는 사람은 그것이 신비로울 것이 없을 것이다. 우주에 충만한 기운은 우주 만물의 운행을 질서 있게 하는 힘이다. 지구 하나가 통째로 없어진다 해도 광막한 우주에 어떤 질서가 깨어지겠는가? 그럼에도 우리가 영성을 논함은 인간 즉 사람이기 때문이다. 사람의 영성을 포함한 우주에 충만한 기운의 질서가 사람과는 어떤 관련이 있는지 인간 본성에는 어떤 의미가 있는지가 중요한 것이다. 결국 사람의 구체적 삶을 떠나면 모든 것이 공허하지 않겠는가?

스티븐 호킹은 바로 그 눈을 가지고 있다. 그의 전신은 장애일지라도 바로 예리한 눈을 가지고 있다. 그는 모든 것을 보는 것에 집중했다. 사물을 쪼개고 쪼갰다. 점점 더 높은 배율의 현미경으로 그 조각의 조각들을 보았다. 거기엔 아무것도 없었다. 검은 구멍, 카오스만이 있었다. 생명은 우연히 여기로부터 시작되고 끝이 난다고 믿게 되었다. 스티븐 호킹은 그의 놀라운 성취에도 불구하고 '신은 없다.'고 외치며 그의 연구를 마무리했다. '신은 없다.' 이는 스티븐 호킹이 물리학적 상상력으로 이른 결론일 뿐 증명하지는 못했다.

또 한 사람은 헬렌 켈러다. 헬렌 켈러는 눈마저 없는 장애인이다. 오로지 손끝에 전달되는 감촉으로 사물을 인식한다. 아무 것도 볼 수 없었던 헬렌 켈러는 이성의 눈으로 확인할 수 없는 영혼의 세계를 살았던 것이다. '나는 눈과 귀와 혀를 잃었지만 내 영혼은 잃지 않았기에 모든 것을 가진 것이나 마찬가지다.' 어둠은 불멸의 영혼의 전진을 가로막지 못한다. 그녀는 살아있는 영성, 그 힘을 믿었다. 그 힘으로 많은 사람 특히 이성적인 사람들에게 살아 있는 영적 울림을 주는 몇 안 되는 사람으로 남아 있다. 스티븐 호킹과 헬렌 켈러. 현대사의 두 인물은 극단의 이성주의자와 높은 영성의 소유자의 좋은 모델이 아닐 수 없다. 물론 두 사람의 격을 논하자는 이야기는 아니다.

▌지혜와 사랑에 대해

우리는 사물의 본질을 그 현상을 통해서만 알 수 있다는 인식론적 한계가 있다. 쪼개고 또 쪼개면 빅뱅이 나온다. 그것이 본질은 아닐 것이다. 무신론에 다다르는 방법일 뿐. 우리가 주목하는 것은 생명이고 그 생명의 영속성인 영성이다. 우리가 볼 수 있는 뇌는 눈이라고 했듯이 우리가 볼 수 있는 영은 바로 삶의 모습에서 나오는 기운이다. 그 중에 대표적인 것이 사랑이다. 사랑이란 언어가 추상적이라는 생각을 나는 오래전부터 해왔다. 그러면 사랑은 무엇일까? 사랑은 구체적으로 불쌍히 여기는 마음이다. 그래서 心은 영이 깃드는 곳 아닐까 한다. 사랑의 외적표현은 바로 이 불쌍히 여기는 마음이다. 이 마음이 없는 사람은 영혼이 메마른 사람이라 단정해도 된다. 불쌍히 여기는 마음은 어미가 자식에게 이르는 본능적 사랑, 청춘 남녀의 감성적 사랑, 공동체의 영속성을 위한 이성적 사랑, 전 인류와 우주만물의 궁극의 영속을 위한 사랑에 이르기까지 미치지 않는 곳이 없다. 이 영성의 크기가 사랑의 스케일을 결정한다. 사랑은 지혜, 인내 등등 여타의 덕목을 낳는다. 그래서 예수도 사랑이

제일이라 했던 것이다. 아니 하나님도 사랑이 제사보다 낫다고 했다. 권력의 질을 논하는데 웬 사랑타령이냐고? 그렇다. 권력의 질 속에 사랑이 어떻게 녹아있느냐에 따라 그 권력이 영성을 얼마만큼 포함하고 있느냐의 바로미터가 되기 때문이다. 영성을 '완벽한 평화', '완벽한 균형'이라고 표현한 사람도 있다. 틀린 말은 아니다. 영성이 본능, 감성, 이성을 조화롭게 균형 있게 생명의 길로 이끄는 인자인 것이다. 마치 합창단의 훌륭한 베이스가 여타 3개의 파트를 조화시켜 새로운 소리를 내듯 말이다. 영성은 개인의 삶뿐 아니라 공동체의 삶의 영역에서도 똑같은 역할을 한다.

출애굽기의 기본 갈등은 대중과 영적 지도자와의 갈등이다. 출애굽을 하며 가나안으로 향하는 대중들과 모세와의 갈등은 공동체의 영성을 잘 보여주는 대목이다. 이성적인 지도자 한 사람이 감성적 대중들을 제대로 이끌 수 없듯이 마찬가지로 모세의 어려움이 그것이 아니었겠는가? 그런 대중들에게 어떤 논리와 설득이 효과가 있겠는가? 집단 이성을 발휘하는 과제가 한국 정치에 있어서 18대 대선의 과제라고 그 의미를 정의한 바 있다. 그러면 집단 영성도 존재할 수 있는 것이다. 기독교에서는 그것을 교회라고 일컫는다. 기독교적 공동체, 성령이 이끄는 공동체, 이를 일컬어 교회라고 정의했다. 이 교회에 속한 무리들이 가지고 있는 영성을 집단 영성이라 할 수 있을 것이다. 한국교회가 가지고 있는 영성의 크기를 재어 보는 것은 뒤로 미루자. 다만 현재로서는 매우 허약한 영성을 가지고 있다고 생각된다. 왜냐하면 그 영향력이나 사회적 실천의 모습에서 나오는 기운이 허약하기 때문이다. 한국 기독교 전체가 이성주의자들의 눈에 조차 감성적 이단으로 비치고 있으니 말이다. 이념을 그들의 신보다 더 우위에 놓고 예배하는 우상숭배, 일만악의 뿌리인 돈을 그들의 신보다 더 높이 섬기는 우상숭배, 자칭 제사장의 집안임을 과시(?)하는 교회 세습. 이런 모습들이 어떤 영성이란 말인가? 북한의 권력세습, 남한의 재벌세습, 기독교의 교회세습. 누가 누구를 탓할 수 있겠는가? 물론 서로 최악이라고 말하지만 말이다.

영성은 모든 공동체의 영속성뿐 아니라 인간이 고귀하다고 내세우는 가치 즉 가장 아름다운 삶의 질을 지향하는 견인차가 된다. 그러므로 영성은 공동체 속에서 살아 움직일 때 그 궁극의 의미가 있는 것이다. 이런 영성을 담지한 지도자, 대중의 집단적 영성이야말로 이 세계를 보다 질 높은 삶의 공간으로 이끄는 힘이 되는 것이다. 사실 회교국가가 이상적인 사회라고 보이지 않는 것은 그들이 말하는 신령함이 조화와 균형 즉 본능, 감성, 이성을 조화시키지 못하기 때문이다. 한 개인이 본능, 감성, 이성, 영성이 조화롭고 균형 있을 때 건강하고 행복한 삶을 살 수 있듯이 공동체도 이것의 연장 이상도 이하도 아닐 것이다.

▌18대 대선의 의미

다시 한국정치로 눈을 돌려보자. 한국정치 즉 한국의 역대 정치권력을 비롯한 각종의 권력들이 얼마나 영성을 가지고 있는가? 3류 우익들과 기독교 극우인사들은 사실 그들의 신 위에 반공을 모시고 살아왔고 지금도 그렇다. 오직 북한을 미워하는 것이 모든 것에 우선하고 사랑보다 더 고매한 백성에 대한 사랑이라고 강변한다. 역대 어떤 정당에서 영적인 힘을 느낄 수 있었을까? 최근 들어 각종 선거의 최대 이슈는 '삶의 질' 곧 복지의 문제가 늘 앞자리에 앉는다. 의미심장한 일이다. 먹고 살 만하니 좀 즐기자 이런 뜻도 있겠고 양극화로 인한 분배의 뜻도 있겠지만 좀 더 내면적인 인간 삶의 본연의 행복을 찾자는 것이리라. 즉 본능적 삶, 감성적 삶, 이성적 삶, 영적 삶이 조화와 균형을 이루는 상태, 이런 '삶의 질'을 공동체의 목표로 하자는 정치적 아젠다 아니겠는가?

이것은 곧바로 권력의 질과 이어진다는 면에서 의미심장하다. 권력의 질이 저급한데 대중들의 삶의 질이 고급할 수는 없는 것이다. 대중들이 '삶의 질'을 삶의 목표로 놓았다는 것은 그 사회의 권력의 질에 대한 심각한 문제 제기를 겸하고 있다는 증거다. 안철수 현상과 정치개혁이 18대 대선의 최대 이슈가 되는 것도 결코 이와 무관하지 않다. 본능의 권력 하에서 대중들은 고문, 감금, 사찰금지와 사상의 자유 등 기본적 인권을 삶의 질을 개선하는데 최소한의 조건으로 내세웠다. 감성의 권력 하에서는 무엇이 대중들의 더 나은 삶의 질을 가로막고 있을까? 한국사회에서 그 어떤 분야보다 정치 분야 즉 정치권력이 다른 분야의 발목을 잡고 있다고 믿고 있다. 이는 모든 사람들이 인정하고 있다. 이 정치권력의 후진성, 그 낮은 질이 급격한 사회변화에 적응하지 못할 뿐 아니라 걸림돌이 되고 있다는 것이다. 사회는 IT 정보사회로, SNS가 주 소통의 수단이 되는 직접 상통의 시대로 변화되었는데 정치권력과 그 주변의 장치들 즉 언론이나 검 · 경, 사법부 등은 변화를 두려워하고 있거나 스스로 변화할 능력을 가지고 있지 못하거나 둘 다이거나 라는 것이다. 앞선 대중들은 이미 이성적인 대중으로 멀찍이 변화되어 있는데 정치권력은 감성적 선동으로만 대중을 상대하니 이 무슨 불협화음이란 말인가? 안철수 현상도 이 불협화음속에서 만들어진 것이다. 막연하지만 '안철수는 이성적인 판단을 할 수 있을 것이다. 그런 영혼의 소유자일 것이다.' 그렇게 믿고 싶은 것이다. 오늘도 박근혜 캠프의 총괄을 맡고 있는 김무성씨는 '종북 세력에게 권력을 내줄 수 없다.'라고 했다. 이 한마디로 한국 정치권력의 질을 다 보여 준 것이다. 나는 이에 대해 이렇게 말하고 싶다. '3류 우익에게 우리의 미래를 맡길 수 없다.'고. 이런 비이성이 버젓이 말하여지고 일정의 지지자들이 존재하는 것은 분단 때문이다.

분단은 한국사회의 모든 비이성의 어머니이다. 천안함이 당국의 말대로라면, 북한의 어뢰를 장착한 잠수함이 훈련 중인 대한민국의 함정을 기습 공격하여 침몰시킨 침공이다. 이를 다른 말로 표현하면 대한민국 해군은 적군에게 기습을 당해 수많은 군인이 죽고 배는 침몰했다. 그렇다면 그 전선을 지키는 책임자는 군법에 의해 마땅 처벌되거나 책임을 져야한다. 그러나 천안함 침몰 후에 대한민국에는 분노와 슬픔만 남아 있을 뿐 책임은 어디에도 없었다. 최근 동부전선에서 한 북한군이 대한민국 국군초소로 넘어와 '노크'를 했던 웃지 못 할 사건이 있었다. 이 사건으로 9명의 고급장교가 징계를 받고 군 수뇌부가 대국민 사과를 하고 전군은 부끄러움에 고개를 숙여야 했다. 두 사건을 여기까지만 적어보아도 눈치 빠른 독자는 우리가 얼마나 비이성적인가를 느꼈을 것이다. 세간에는 이런 말이 있다. '어뢰보다 무서운 건 노크다.' 그렇다 분단, 이 현실이 우리의 이성을 철저히 무력화 시킨다. 이것은 분단이 이 민족에게 주는 최대의 형벌이다. 돈으로 환산할 수 없는 손해가 현재진행형으로 계속되고 있는 것이다. 이성적인 대중, 집단 이성으로 발전하는 한국의 정치권력의 리더는 바로 올바른 영성의 소유자여야하며 그런 영성을 가진 집단이 튼튼하게 자기 자리에 있어야 하는 것이다. 이성은 이성을 리드할 수 없다. 다만 논쟁할 뿐이다.

후기

처음 이 책을 쓰기 시작할 때에는 19대 총선에서의 낙선이 색깔론 때문이었다고 원망하고 있었다. 즉 나는 아주 괜찮은 정치인인데 3류 우익들의 색깔론으로 감성적 대중들이 나를 외면했다고 생각했다. 그러나 이 책의 후기를 쓰고 있는 지금의 내 마음은 총선에서의 낙선은 '내가 부족해서였다'는 것이다. 그 깨달음이 나에게 있어서는 이 책의 가치가 베스트셀러가 되는 것보다 크다고 생각한다. 그러므로 세상에 이 책을 내놓는것, 그 이상의 가치를 이미 나는 충분히 얻은 셈이다. 또 이 책은 나에게는 당분간 '정계 은퇴서'가 될지도 모른다. 그만큼 부담 없이 하고 싶은 말을 다 썼다. 다만 더 풍부한 예를 들어 다양한 접근을 했으면 하기도 했지만 사족이 될 것 같기도 하고 독자들의 상상력에 대한 믿음도 적지 않아 서둘러 글을 맺었다.

문화혁명이라는 중국 현대사의 불행이 덩샤오핑의 내면을 키웠다고 나는 확신한다. 그 작은 몸이 중국 대륙을 통치하는 권력의 핵이었다는 생각을 할 때마다 나는 문화혁명이 고난의 대장정보다 더 큰 영감을 그에게 불어넣어 주었다고 생각한다. 4인방에게 밀려나고 철없는 홍위병들의 모욕을 감수하며 고향으로 내려가 마당가를 서성이며 하늘을 바라보던 덩샤오핑! 그에게, 우리가 유신헌법을 만들던 즈음이 중국의 새 시대를 여는 시기였다는 것을 생각하면 한편 재미있기도 하다. 프롤레타리아의 이성(?)에 감성적 홍위병들의 치기를 더해 위기에 빠진 중공이 고향집 마당가를 서성이던 덩샤오핑을 만나 오늘의 중국이 되었다.

분단된 Korea! 강대국의 이해가 첨예하게 대립하고 있고 남북은 비이성의 극치를 달리고 있고 그 틈새에서 이성적인 판단을 하기가 참으로 어려운 분단 Korea. 과연 언제 어느 때 누구를 만나 하나된 Korea가 될 것인가? 생각이 여기에 이르게 되면 내 마음은 사뭇 종교적이리만큼 엄숙해진다.

끝으로 이 책에서 3류 우익으로 지칭된 사람들은 어느 한 개인을 말하는 것이 아니다. 그들에 대해 좀 지나친 표현이라거나 느끼는 사람에 따라 왜곡이라 말할 수 있을지 모르지만 그것은 필자의 경험으로 보면 "아! 나도 누군가에게 더한 왜곡을 했을지도 모른다. 그로 인해 당사자는 얼마나 영혼의 상처를 입었을까?" 반성하는 계기로 삼기를 감히 청해본다. 나도 두 번 다시 이런 류의 책을 쓰고 싶은 생각이 없다. 그러나 한번은 쓰고 넘어가야겠기에 이런 양해를 구해 본다. 그것은 내 인생사이기도 하고 훗날 이 시대를 온 몸으로 살아온 한 정치인의 눈으로 본 살아있는 역사서가 될 수도 있기에 더욱 그러하다.

언제든지 우리의 의사와는 무관하게 본능의 권력으로 회귀할 수 있는 전쟁, 그 전쟁의 가능성을 상시적으로 마주하고 있는 우리 민족, 기도하는 마음으로 간절한 마음으로 이 글을 썼다. 이유를 막론하고 역사를 뒤로 돌리려는 자들은 '독사의 자식들'이라는 마음으로 담대하게 이 책을 썼다. 나는 이사야를 필두로 한 예언서를 좋아한다. 그 예언자들의 심정으로 이 글을 썼다. 분단의 한 가운데서 온몸으로 역사를 살다 보니 어느 덧 지천명의 나이가 되었다. 어느 날 광야를 깨우는 초인이 있어 새 시대가 열리는 날을 간절히 기도하며 기다린다. 고향집 마당가에서.

2012년 가을

북위 38° 고남재에서